2035年を目指す

中国の科学技術イノベーション

本書編集委員会 編
日中翻訳学院 訳

日本僑報社

はじめに

中国の〝いま〟を知るキーワードの一つに「科技創新」がある。日本語では「科学技術イノベーション」と訳される。「科学技術イノベーション」の動向が国際秩序を変える可能性があり、中国の推進状況に世界の注目が集まっている。

二〇二一年三月、中国の国会にあたる全国人民代表大会（全人代）では、「第十四次五カ年計画と二〇三五年までの長期目標要綱」が承認され、「科学技術イノベーション」などを牽引役として質の高い発展を目指す方針が示された。

本書では、中国の「科学技術イノベーション」の最新動向や中国人イノベーターたちの活躍を、情報通信技術（ICT）、新エネルギー、製造業、ライフサイエンス、宇宙・海洋探査などの多分野にわたって紹介している。中国流イノベーションの強みは、ひらめいたら、まず、手を動かして試してみる、試行錯誤を繰り返し、走りながらソリューションを考えるというスピード感と「失敗を悪としない」価値観にある。

本書を通じて、日本や世界が「科学技術イノベーション」を推進する上でヒントとなる点があれば幸甚である。

二〇二一年初夏　　本書編集委員会

目次

第三章　中国製造業のブレークスルー　69

第六章　国民総イノベーションの時代　165

第一章 暮らしを変えるＩＣＴ

「０」と「１」により斬新な世界が築かれ、情報やデータが溢れ、あらゆる分野でデジタル化が進む。私達は情報革命のただ中にいる。中国では、めまぐるしく進化する情報技術が大きな社会変革をもたらした。山奥の農村から現代都市まで、旧来型の伝統産業から先端の実験場まで、ビッグデータ、ＩｏＴ、ＡＩ、量子通信など、最も注目される分野での探求が先端科学技術のブレイクスルーをもたらした。本章では、イノベーションによって実現したデジタル化とそれにより描かれる未来予想図を紹介する。

私たちの生活、仕事、コミュニケーションのあり方が根底から変わり始めている。中国は技術競争で世界としのぎを削っている。かつてないことだ。至る所で変革が生じている。

一、山間部でドローン宅配

江西省贛州市で今まさに変革が起ころうとしている。この地は国家物流用ドローン（無人機）の試行地点に全国で初めて認定された。同市は起伏に富んだ丘陵地帯にあり、かつては山奥の農村地域まで物流が行き届かなかったが、この特殊な地理的環境がドローンにまたとない社会実装のチャンスをもたらした。ドローンの登場により、贛州の宅配業者に絶好のビジネスチャンスが訪れた。彼らは物流分野でのイノベーションを身をもって体験するだろう。

姜明涛（順豊ドローンプロジェクト 責任者）

二〇一三年の雅安地震発生当時、被災地への物資輸送が難しい状況を目の当たりにした。

生活物資のみならず、緊急支援物資さえ輸送が困難であった。こうした状況に対し、総裁がドローンを使えば迅速に物資を輸送できるのではないかと提案した。

中国は国土が広く、山間部や島嶼部からゴビ砂漠や草原まで複雑で多様な地形が広がっているため、輸送コストがかさむ。現時点でも、中国全土を完全にカバーする物流企業は一社もない。しかし、ドローンは人間が到達できない地域へ輸送の足を伸ばしている。技術的な壁を克服することができ、山河というネックを乗り越え、「ラストワンマイル」への輸送が可能になれば、ネットショッピングや宅配が使えるようになり、僻地の山村の生活が便利になるだろう。ただ、都市部でのドローンの活用と異なり、物流用ドローンに求められるのは、飛行頻度だけでなく、目的地へ貨物を安全に輸送することで、これは極めて大きな挑戦である。

姜明涛

産業用ドローンは下部に取り付けられた設備が固定されており、重量や重心は変わらない。物流用は輸送貨物が日々異なるため、飛行制御にはアルゴリズムを使い、安全性を確保して飛ぶ必要がある。

小規模実証——飛行制御システム「高度を保つ」

彭国標（順豊無人機プロジェクト エンジニア）

ドローンの最重要部分の一つに飛行制御システムがある。機体には二百グラム程の電池が搭載されており、通常は重力の影響により機体が降下するが、すぐに元の高度を維持する。我々の飛行制御はIMU（慣性測量単位）が、状態の変化を感知すると、飛行制御システムにデータを送信する。飛行制御システムは飛行制御プログラミングの設定に従って四つのモーターに指示を出し、出力を変え、設定高度を維持する。

深圳実験室から社会実装に至るまで、ドローン実証チームには四年の準備期間しかなかった。現在、彼らは贛州に二タイプの自主開発機を持ち込んでいる。

彭国標

　贛州でのテスト飛行では二つの機種を使った。一つは我々が開発したH４と呼ばれるクアッドコプター（ローター四枚の機種）。重量二・五〜四キログラム、航続距離は約十五キロメートル。もう一つは「マンタ」と呼ばれる垂直離着陸型の固定翼ドローン。最大の強みは長距離飛行が可能なことだ。マンタ型は積載可能量十キログラム、航続距離百キロメートル。実はこのブレンデッドウィングボディ（翼胴一体）タイプの機種は、民間用、軍需用ともに数少ない。我々が物流用ドローンに導入すれば世界初となる。

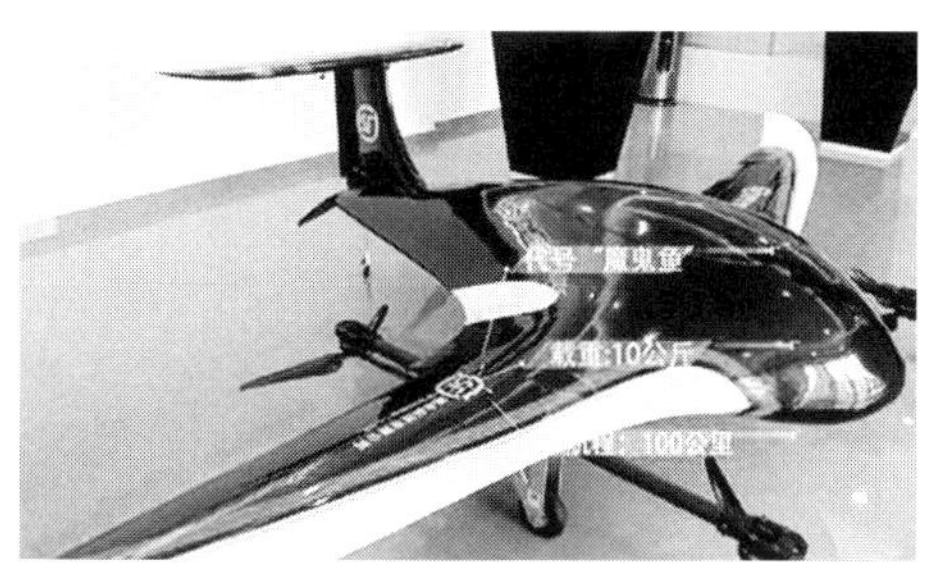

イノベーションは思いがけないところからひらめくものだ。「マンタ」という奇妙な形をした魚からインスピレーションを受けたデザイナーが、独自の物流用ドローンを開発した。このデザインは貨物輸送のチャンスを広げ、航続距離を伸ばした。「マンタ」の強みが物流業界のニッチなニーズにマッチした。

贛州の営業拠点間で物流ドローンが初の宅配を行う日はそう遠くないだろう。技術と創造力が結びつき、私達に喜びや驚きを与え続ける。

情報が渦巻く中で、どこに変革が起こるのか、正確にとらえられる者はいない。

二、自動運転のプライベートサロン開発

繁華街の地下駐車場で自分の車を見失った人をよく見かける。

今、このような人をサポートする新サービスが登場し、特別仕様のスマートカーのテストが進んでいる。

それは四輪のカート型ロボットで、四方にカメラが設置され、機械学習によりルートを決め、

ユーザーを乗せて駐車位置まで誘導する。

現代人の一日の運転時間は益々長くなっている。動く「鉄の箱」に缶詰めになると、ハンドルを握る以外ほぼすることがない。ドライバーは集中力が散漫になると、安全リスクが極めて高くなる。自動運転技術により人々の両手が自由になり、ハンドル操作は自動化されるだろう。起業家にとっては大きなビジネスチャンスになる。

皆が一分一秒を争っている。世界各国の主要自動車メーカーの技術戦略は、車種から、車間距離制御装置（ＡＣＣ）、緊急自動ブレーキなどの補助走行機能に重点が移り、自動運転が徐々に実現している。ただし、呉甘沙の取り組みはそれらとは一線を画す。

呉甘沙（駆勢科技 創業者）

我々の最もクレイジーなひらめきは、自動運転の完成車を一から設計できないかというものだ。自動運転という強みを活かして。移動するプライベートサロン、移動するバーカウンターでもいい、搭乗者はA地点からB地点までどう走るかを考える必要はない。ただこの空間を楽しみ、好きなことをするだけだ。

ハンドルもダッシュボードもブレーキさえもない車は、自動運転のプライベートサロンとなる。

二〇一七年の世界最大の電子製品と新技術の展示会で、呉甘沙のグループはこの大胆な試みを初公開した。

姜岩（駭勢科技 最高技術責任者）

開発区、観光地、空港などのルートが固定された場所は自動運転に適している。最大の強みはこうした固定ルートでの走行だ。人が運転するには少々単調で、味気ない。

車両のルーフには、GPS、レーザーレーダー、立体カメラ感知システムが搭載されており、自動運転車の「目」の役目を果たしている。ただ、「視力」が上がると価格も上がる。そのため、自動運転のほとんどは国外でも国内でもまだ実証段階にある。ブレイクスルーを果たすには、他と一線を画す技術ロードマップが必要だ。

呉甘沙

グーグルの64LIDAR（レーザーライダー）は一台七十万元、我々が使う16LIDARは一台数万元だ。AIにより、我々は最良のアルゴリズムを使ってセンサーの弱みを補うことができる。

姜岩

自動運転分野で中国は世界をリードしていると思う。都市化が現在進行形で進み、新都市では最初から自動運転の導入が計画されているからだ。先進国ではこうはいかない。中国には先天的な強みがあり、カーブで追い越すのではなく、直線で一気に追い抜くことが可能だ。海外ではあり得ない。

自動運転が描く未来はこうだ。車内で過ごす時間は一変し、車は巨大な移動端末になる。新たな世界の可能性がテストを重ねる中で徐々に見え始めている。

三、ビッグデータと衛星で農業革新

米航空宇宙局（ＮＡＳＡ）の元ビッグデータ科学者、張弓は衛星を制作中だ。最先端の光学機器を搭載したこの衛星は、打ち上げられた後、伝統産業の農業を支えるだろう。

張弓（佳格天地聯合 創業者）

米国でよく目にするのは広大な土地だ。聯合の収穫機は数十メートルの収穫トレイがついており、広大な農地の収穫を一人で行うことができる。中国は土地が細分化され、一人あたり一ムー－三分（一ムー＝一／十五ヘクタール、一分＝約九百七十平方メートル）というところだ。生産の集約化をはかるのは難しい。より多くの労働力や物資を投入して土地あたりの経営効率を上げるしかない。

張弓

中国の農業には非常に大きな変化が生じている。そう、今がチャンスだ。強風も最初はかすかなそよぎから始まる。スタート段階で参入できて良かった。我々には十分な技術力があり、より良くより早く現代化プロセスを推進することができる。

張弓のグループは元ＮＡＳＡの空間、気象、農業分野で勤務した学者で形成されていたが、二年前、若い科学者らがシリコンバレーから中国に戻り、ビッグデータ技術を活用して、長年、中国農業の現代化の足かせとなっていた難題を解決した。

四月、陝西省千陽のリンゴの花の盛りはわずか一週間である。この一週間は張弓にとって極めて重要だ。一万ムーを超す広いリンゴ園で彼はリンゴの花を一つ一つ数える。

張弓

なぜ、花の数を数えるのかというと、花の数は将来の生産量を反映するからだ。この見積もりは特に重要だ。大量の果実を一度に収穫すると、物流も貯蔵も逼迫する。空撮や衛星画像により機器を訓練する。人の目では識別が難しくとも、機器なら一つ一つ数えることができる。

検測機器が地下に埋められており、センサーがリンゴの樹の根の方にのびて、水分、温度、肥料、様々な項目の土壌データを収集している。

張弓

三日目に土壌の水分が急増した。実はその日には必要量の雨が降った。我々のこの自動灌漑システムは相対的に灌漑量を減らすことができ、それには標準化された情報伝達システムが必要となる。

千個以上の衛星が地球の周りを回り、毎日地上に数億に及ぶ様々なデータを送信する。次世代衛星技術はサブメートル級（測位精度一メートル以下であることを指す）に達し、高度一万メートルの高さから数十ミリメートルの物体をとらえることができる。解像度の高い衛星画像とコラボして、ビッグデータのアルゴリズムは目には見えなくとも、私達の日々の生活に影響を与えている。
深夜〇時から早朝六時までが出荷地の最も活気あふれる時間だ。ここは北京最大の農産物取引センターで、毎日数千万人に新鮮な果物や野菜を供給している。これらの食物はどこから来たのだろうか。

張弓
これは衛星画像より取り出した小さな区画だ。この場所は山東省寿光にあり、北京で消費される野菜の実に七十パーセントを供給している。これは衛星画像と合致するビニールハウスの場所で、寿光一県だけで二十三万千七百六十四個ものビニールハウスがある。
この高精度なデータで寿光の野菜供給量を予測し、市場変動のリスクを下げ、最終的に五百キロメートル離れた北京の野菜価格を形成している。

顧竹（佳格天地聯合 創設者）

北京の農業は米国とは大きく異なる。私達の土地に対する思い、総体的な知識、哲学的な思考の枠組みは農業と密接な関係がある。ビッグデータについて語るとすれば、中国ではビッグデータは耕作者一人一人の頭の中にあり、頭の中には非常に豊富なビッグデータシステムが完備しているが、これらの知識は必ずしも体系化されていない。この点が異なる。皆の頭の中にある経験や理論を取り出して、コンピュータ言語で表現する。それが中国独自の農業ビッグデータであり、他の国にはないものだ。

危楼高百尺，手可摘星辰[1]（山上の楼のなんと高いことか、手を伸ばせば瞬く星を掴めそうだ）。広い宇宙が近くに感じられるだろう。

中国は農業文明発祥の地の一つであり、無数の農耕技術のイノベーションが起こり、華夏文明を輝かせた。

現在では、情報技術が伝統的な農業に新たな活力を注ぎ、中国の農業はお天道様頼みの農業からお天道様を活用した農業へと変わりつつある。

四、ＩｏＴを駆使した深圳のスマートビル

深圳に新たなランドマークが誕生しつつある。高層ビルでもあり、スマートデバイスの巨大実験所でもある。万超はここで野心的なＩｏＴ計画を進めるつもりだ。

万超（テンセント企画設計部 総経理）
この濱海ビルの一番の特徴は、ビル全体の大型設備、機能維持やメンテナンスを行う管理システム、人の行動を初めて総合的に連携させることができる点だ。

万超グループの構想は明確だ。一万人を収容可能なこのビルでは、入り口の顔認証システムが個人識別情報を読み取ると、ビル内のあらゆるスマート機器にすぐに連動し、訪問者一人一人に異なるサービスを行う。ビルの五十六個のエレベータにはボタンがなく、WeChatで行き先階を予約すると、一番近くにいるエレベータが最短時間で送り届けてくれる。会議室は出席者の状況に応じて温度や明るさを自動調整する。

万超が率いる企画設計部は常に建設現場とコミュニケーションをとっている。二十名を超すスタッフは、従業員数三万人を抱えるインターネット企業で最もイノベーションとは無縁な部門にいるのかもしれない。二〇一〇年当時、現在の本部が立ち上げからわずか一年でスタッフ数が急増したため、新本部ビルの建設が始まった。この時、万超はビルを建設するだけでは物足らなくなった。

万超

私達は二十四時間のうち二十時間は建物の中にいる。建物の中で如何に快適にすごせるだろうか。私達が入り口で顔認証を済ませると、入り口にも、モニタリングカメラにも、エレベータにも認識される。私達のエレベータはスマートエレベータになるだろう。エレベータが動く間に、あなたの部屋の明かりや空調にはあなたが間もなく到着することが伝わる。どうやって伝わるのだろうか。どのように情報を入手するのだろうか。また、エレベータとロボット、この二つはどうコミュニケーションをとるのだろうか。あらゆる情報の流れ、データの伝達はいずれも「卯識」オペレーションシステムにより行われる。

社内で暫定的に「卯識」と名付けられたＩｏＴシステムは、万超グループ一押しの作品だ。従来のビルでは、エレベータ、火災報知器、セキュリティモニターなどのシステムはいずれも個別に機能し、管理人の操作が必要だった。しかし、現在では、ＩｏＴシステムが初めてこれらを一つのソフトウェアに集積し、既存のビル管理システムを一変させた。北京から深圳の事務所まで、食堂の人の流れから地下駐車場の稼働率まで、どんな小さな情報もすぐに収集できる。それぞれの白い点が灯りで、実施位置を正確に示し、管理スタッフはいつでもＩｏＴシステムを操作でき、スイッチのオン・オフや明暗をコントロールできる。

万超はかつてないオペレーションシステムを暫定的に「卯識」と呼び、研究開発グループに未来への期待を託している。

あらゆるものがつながる世界がいつ実現するのか、人類がどんな未来を創り出すのか誰にも分からない。

未来はイノベーターの情熱を掻き立てる。科学技術の進歩が人々の想像力を最大限に発揮させる。

五、ビッグデータで交通渋滞を解消

「コードを書けない」心理学博士の王堅が、優秀なソフトウェアエンジニアたちを率いている。彼らのミッションはゼロからのイノベーションを起こし、都市をよりスマートに変化させることだ。全ては目に見えない軌跡という資源を活用できるかどうかにかかっている。

王堅（アリババ技術委員会 主席）

中国の人々はお茶で煮込んだ茶卵をスマホで買い、米国の人々は水道代・電気代を小切手で支払う。支払い方法が違うだけに思えるが、実は生じるデータが異なる。世界ではデータ処理がまだ十分とは言えない。中国はデータ資源が最も豊富な国で、この点で私達にはイノベーションのチャンスがある。最も重要なのはこの点だ。

中国の人口は十三億人を超え、毎年発生するデジタル情報は世界の約十三パーセントを占める。私達の仕事、消費、運動、生活、こうした行動の軌跡は記録され、膨大なデータに蓄積される。これらのデータはばらばらで、利用価値がないように思えるが、それらを「コマンドに従わせる」ことができるなら巨大なエネルギーに変えることができる。現在、王堅は機器のスマート化により、膨大なビッグデータをスマート化し、富に変えようとしている。まず、都市の交通分野で実験を開始した。

事故や渋滞箇所を如何に早く見つけるか、交通トラブルを最短で解消できるかは、警察官の悩みの種だった。都市には数多くのトラフィックモニターがあり、刻々と変わる道路状況のデータを記録するが、人間によるモニタリングは極めて効率が低い。

王堅は「シティブレイン」プロジェクトによりこの難題を解決できると交通警察に説明するつもりだ。

ベテラン交通警察官にとってＡＩの使用は初体験だ。王堅グループのアルゴリズムの専門家たちは二カ月のテスト期間を経て、機器に慣れ、車両に慣れ、膨大なデータの中から交通効率に影響を及ぼす事象を最短でピックアップしている。

交通警察コマンドセンターで「シティブレイン」プロジェクトの試験導入が始まった。訓練を重ねて、機器はどのケースが事故かどのケースが渋滞かを学んでいく。

これはワクワクする出発点だ。将来、私達の都市はスーパーブレインを有することになるだろう。インターネットはすでに電力グリッドのように都市のインフラの一部になっており、コンピューティングが眠れるデータにスポットをあて、新たな富を創り出す。

王堅

もし、私達が都市にある五十万から百万のモニターをこの方法で使いこなすことができれば、この都市のビジネス構造がほぼ理解できるだろう。どれほどの人がスターバックスカフェに行くのか、この都市のあらゆる構造がほぼ分かる。これは始まりに過ぎず、交通はその手始めに過ぎない。これは一つの都市の発展を支えるのに必要なもの、機器のスマート化に不可欠な要素であり、目と同じである。

私達にはまだこのありふれたデータがきちんととらえられていないが、データやコンピューティングで透視することで、スマート社会の未来を垣間見ることができる。

六、量子科学で世界をリード

上海にある量子情報と量子科学技術イノベーション研究院。私達はここで宇宙の角度に変化が生じる可能性があることを知るだろう。量子物理学の研究者である潘建偉は、研究チームを率いて現実世界で偉業を成し遂げようとする一方、全く別の驚くべきミクロの世界を解き明かそうとしている。アインシュタインはこの世界を「精霊」に例えた。そこでは人類が何の疑いもなく信じ続けてきた多くの自然の法則が覆されるだろう。

陸朝陽（光量子コンピューティング研究室 責任者）

量子の世界とはどんな世界だろうか。それは毎日使っているのにその存在に全く気づかない。**髪の毛の何千万分の一の大きさになることができたなら、全く新たな、異なるルールがある別世界が見えてくるだろう。**

量子力学は「前世紀で最も偉大な科学の発見」の一つと言われている。とらえどころがないように感じるが、実はかねてより私達の身近なところにある。量子力学がなければ、今日のコンピュータ、モバイル通信、ＧＰＳなどのキーテクノロジーは誕生しなかっただろう。

現在、科学者たちは量子の世界の独特な法則を使って、光量子コンピュータを作ろうとしている。成功すれば、数十万年かかった計算が数秒でできるようになる。

陸朝陽

私達が取り組む光量子（光子）コンピュータが初めて古典コンピュータ（従来のコンピュータ）の性能を上回った。実験室でその姿を見ることができるが、きっと皆さんの想像とは全く違うものでしょう。実は、一九四六年に米国ペンシルベニア州で誕生した最初のコンピュータは、この実験室の五倍もの大きさがありました。

世界初のコンピュータ誕生から二十年後、インテルの創業者であるゴードン・ムーアがかの有名な「ムーアの法則」を提起した。約十八カ月ごとにコンピュータの演算速度が二倍になる。半導体チップの微細化が進み、演算速度が益々早くなる。現在、トランジスタ単体の大きさはインフルエンザウイルスよりも小さく、物理的な極限に迫っている。ムーアの法則が終わりを告げた後、人類は演算速度をどうやって更に向上させることができるのだろうか。科学者たちは、光量子を操作することで演算能力の常識を覆すことができると信じている。

陸朝陽
光量子コンピュータは光の粒子（光子）の動きを情報処理して計算する。0でも1でも、さらには0と1が重なった状態をも認識することができる。

演算の基本単位は「ビット」で、0か1で表される。「ビット」はこれまでの世界では「0でなければすなわち1」だった。不思議な量子の世界では、多くの状態が重なり合って存在することができる。このため、重ね合わせが可能なクビット（量子ビット）の数が増えていくと、演算速度は指数レベルで増加する。五十量子ビットであれば、二の五十乗の状態が同時に存在する。この数字はどれ程巨大なのだろうか。〇・一ミリメートルのA4用紙を五十回折りたたむのに相当し、一億キロメートルとなり、地球から太陽までの距離の四分の三に近い。

光量子コンピュータを作る場合、肝心なのは光量子を制御できるかどうかだ。四十ワットの電球をつけると、ひとすじ光の束が見える。見えないのは何兆もの光量子で、私達が制御できない特殊な運動を行う。光量子の一つを捉え、コマンドに従わせることは、マクロの世界の科学家達にはほぼ達成不可能なミッションだ。

過去数十年、多くの科学者が量子コンピュータは美しい理想にすぎないと懐疑的だった。陸朝陽を指導した潘建偉も一度は諦めかけた。

潘建偉（中国科学院 アカデミー会員）

二〇〇三年、二〇〇四年と私達は四ビット、五ビットに取り組みました。当時、私達は望み薄だと感じ、どう取り組むべきか途方に暮れていました。そこで、いつも陸朝陽にたぶん私達の仕事はそのうちなくなるだろうと話したものです。

このように追い詰められた状態で科学者達は十二年間努力した。陸朝陽の実験室が「パルス共振蛍光」という特殊技術を開発するに至り、ついに十個の光子の制御に成功した。

陸朝陽

世界の同業者を凌ぐ最良の実験で、私達は彼らより二万四千倍速かった。

世界で初めて古典コンピュータの性能を上回った光量子コンピュータはこのように誕生した。世界トップレベルの科学ジャーナルが陸朝陽を「光子を操るシャーマン」と称えた。

陸朝陽

これは古典コンピュータの中央演算装置（CPU）にあたる部分です。この干渉計では光子がそれぞれの仕事をしています。

原子や光子を個別に操作することができるとしたら、交響楽団のようになるだろう。バイオリンを弾く人もいれば、太鼓を叩く人もいる。

潘建偉

もし百ビットが可能になれば、特定の課題に対するソリューションはスーパーコンピュータよりも数百倍速くなるだろう。新たな量子情報科学の誕生により、ライフサイエンス、現代情報科学、エネルギー科学を含む各分野が飛躍的に発展するだろう。

量子の世界がもたらす驚きはこれに留まらない。数千年来、人類は百パーセント安全な通信を求めてきた。量子の特性を活かして、潘建偉が率いる科学者達は解読不可能なパスワードを探し出した。これは人類が目下唯一無条件で安全を確保できる暗号化だ。遠く離れた青海省のゴビ砂漠で、潘建偉グループの別の若手達が量子通信の実現を目指して努力している。

楊奎星が取り組む実験は真夜中にしかできない。毎夕、たった二人の科学研究グループは山道を一時間揺られて、広大なゴビ砂漠のはずれにある天文台へと向かう。量子通信実現の鍵を握る「量子暗号通信」の実験を行うためだ。

量子暗号では単一光子を用い、干渉や複製が行われるとパスワードが無効になり、通信中のあらゆる盗聴行為が阻止される。

二〇一六年八月十六日、世界初の量子衛星「墨子号」が中国で打ち上げられた。

宇宙空間のほぼ真空状態では、光信号の破損は最少に抑えられる。量子衛星が地球の周りを回る。超長距離量子通信の実現に向けて最も可能性が高いルートだ。

毎晩午前一時～三時にかけて、「墨子号」は青海省デリンハ（徳令哈）の上空を飛ぶ。衛星の上空通過は十分足らずで、科学者達はレーザー追跡システムを使って、千二百キロメートル離れた量子衛星から放たれる光子を望遠鏡に正確に受信させ、「衛星・地上局間の光通信」を成功させる。

楊奎星（中国科技大学 博士）

衛星の飛行速度は秒速約八キロメートルと非常に速く、難易度が高い。飛行機が上空一万メートルの高さから、地上の貯蔵タンクめがけて硬貨を投下するような精度が求められる。

二〇一七年八月、「墨子号」衛星は想定された科学実験を全て終えた。潘建偉と彼の仲間達は立ち止まらず、競争の激しい量子科学分野で世界をリードしたいと思っている。

未来に続く道で人類の光り輝く想像力に火をつけるのは何だろうか。

未来への好奇心、苦しい時の思考、美しい未来への期待、斬新な世界へのドアが一つ一つ開かれていく。

＊1 漢詩「夜宿山寺」。李白が江心寺（現在の湖北省黄岡市黄梅県蔡山鎮にある「蔡山寺」）で詠んだ五言絶句と伝えられている。山奥の寺院で夜を過ごし、その後ろにそびえるチベット仏教寺院に登った時に見た美しい星々の様子を描いている。

第二章

脱炭素社会を担う新エネルギー

石炭で石油を代替できるか。人工太陽を作れるか。人の身体の動きで発電することは可能か。

本章では大胆な試みや新エネルギーについて詳しく紹介する。エネルギーの未来を考え、情勢を推し量りながら、中国人はエネルギー分野でいかなる責任や役割を担うことができるだろうか。東方の智恵と現代科学技術を融合し、イノベーション・スピリッツを胸にエネルギーの変革を促す。こうしたストーリーが中国や世界で展開し、活力溢れる未来を創りあげている。

私達はかつてないほど多くのエネルギーを手にしているが、完璧なエネルギーなど一つもない。

私達は知恵を絞ってエネルギーと環境のバランスをはかり、新技術によりエネルギーが抱える課題を克服する。科学者たちは新エネルギーに対する探求の手を休めることはない。

一、養鶏場の鶏糞で発電

孵化工場のスタッフは毎日、何千何万羽の鶏卵を取り上げる。鶏卵は孵化器に移され、二十一日でヒナになる。生まれたてのヒナは、四十キロメートル以上離れた武夷山脈の山奥まで届けられる。福建省光沢県は同省の重要な穀倉地帯であり、アジア最大の養鶏拠点でもある。標準輸送車両一台にヒナ三万羽を積み込むことができる。生まれたヒナは一時間足らずで養鶏場まで運ばれる。広さ約二千平方メートルの鶏舎では三万羽のヒナが育てられている。光沢県と近隣の県や市には同様な養鶏場が千六百箇所あり、五億羽の鶏がいる。

アジア最先端の養鶏拠点でも頭を痛めるのが糞の問題である。一羽の鶏が誕生してから出荷されるまでの四十二時間で、四キログラムの糞をする。五億羽となると天文学的な数値になる。一棟の鶏舎では三万羽の鶏から百トンの糞が排出され、これを一度に清掃完了する必要がある。従来は鶏糞を肥料として出荷した。しかし、光沢県だけでこれほど大量な鶏糞は消化しきれない。

さらに大きな問題は四十キロメートル離れた富屯渓だ。そこは福建省の母なる川、閩江の上流に位置している。この問題を解決するためのイノベーションが見つからなければ、日々排出される鶏糞が中国東南地域の水系に致命的な災難をもたらすことになる。

鶏糞処理を担当する四十四歳の張永亮が考えたソリューションは燃焼発電だ。

鶏糞をエネルギーに変えるプランで、給餌初日には準備が整った。

張永亮（発電所 チーフエンジニア）

カギとなるのはもみ殻だ。養鶏のプロセスでは、まずもみ殻を敷き、鶏の出荷後にもみ殻の一部は腐ってカロリーが減るもののなお残っている。

車一台で運べるのは八トンで、我々が一日に処理できるのは八百トン強、一日の運搬回数は八十~九十回。これをエネルギーに転換すれば、鶏糞三トンはほぼ石炭一トン分にあたる。張永亮の発電所は特に目立つものではなく、毎年一・三億キロワット時を発電し、四万軒の家庭が使用する電力をまかなうに過ぎない。ただし、アジア最大の鶏糞発電所として過去二年で八十万トン強の鶏糞を処理した。

鶏糞発電はゴミを宝に変える知恵である。発展と環境のバランスを保つために、我々は更なるイノベーションに取り組み、石炭エネルギーに力を入れねばならない。

二、クリーンコール発電

中国最大の露天掘り炭鉱の一つに山西省の平朔炭田がある。三百六十七平方キロメートルの範囲に広がる炭鉱の地質埋蔵量は百二十六億トンにのぼる。

最大三百トンの積載が可能な石炭輸送列車が昼夜走り続ける。電動ショベルが炭鉱の採掘面を進むと、平均十五メートルの高低差を有する巨人の階段のような光景が現れる。この炭層別採掘方式は採掘終了後に土地を元通りに埋め戻すのに役立つ。

二〇一六年、中国では標準炭[1]換算で石炭二十七億トンが消費され、このうち大部分は発電に使われた。この石炭輸送列車の目的地は中国で最も近代化が進む都市である。

上海、そこは二千五百万人が暮らす不夜城である。

電気は夜空を照らすだけでなく、現代人の生活を二十四時間活動可能に変えた。

中国で最も経済発展したこの都市では、過去一年で千四百八十六・〇二億キロワット時の電力が消費された。

上海市の年間電力使用量の十分の一が、外高橋第三発電有限責任公司から供給される。そこは長江河口にある発電所で、業界では「外三」と呼ばれている。

二百年前の産業革命とともに人々は石炭を使うようになり、大気汚染が発生した。中国で最も人口が集中する都市で石炭火力発電が行われていることは妥当だろうか。

世界中の多くの国で石炭火力発電が導入されている。世界の電力の四十パーセントは石炭火力発電でまかなわれており、中国では六十五パーセントにも上る。

馮偉忠（上海外高橋第三発電有限責任公司　副董事長）

長期にわたり、中国のエネルギーでは石炭が中心的役割を果たしてきた。それは、中国の資源賦存状況によるものである。

一九五五年に上海で生まれた馮偉忠が電力業界に入ったのはまだ十六歳の学生時代であった。三十年後、馮偉忠は発電所の責任者を務めており、最も環境にやさしく、最もクリーンな発電所を建設するミッションを引き受けた。

馮偉忠

我々の火力発電には二つの課題がある。一つはいかに効率を上げ、二酸化炭素（CO_2）排出を削減するかということ。もう一つは、いかに環境負荷を軽減するかということだ。この技術イノベーションには二つの方向性があるが、基本は効率向上である。

我々のボイラーは火力発電所で最も重要なコア設備である。高度百二十九メートル、炉床は四百平方メートル以上ある重要なエネルギー転換装置だ。どのように省エネを実現するのか。ボイラーに関する効果的な取り組みができる可能性がある。例えば、石炭を微粉炭にする際の効率向上、燃焼効率向上など、多くのイノベーション技術を活用することができる。

火力発電所の最重要指標は石炭消費効率だ。二〇一五年時点では、中国の発電用石炭の平均消費効率は電力を一度（中国の電力単位、一度＝一キロワット時）発電するのに三百十二グラムの石炭を必要とした。外三には百万キロワットレベルの石炭火力発電ユニットが二基あるので、石炭消費量は百万をかければ算出できる。

馮偉忠

二百万キロワットの発電能力とはどの程度の規模だろうか。一九四九年に中華人民共和国が成立した当時、中国全土の発電容量は百八十万キロワットだった。

二〇一三年には、外三の石炭消費効率は二百七十六・八二グラム／キロワットとなり、デンマークの発電所が維持する世界記録を破った。石炭消費量一グラム削減には、馮偉忠グループが設備改造のために取得した特許を使う必要がある。

この新記録はまた、一度の電力を送り出すのに、外三は全国平均レベルを上回る標準炭換算四十五グラムを節約したことを意味する。一年では五十二万トンの石炭の節約に、価格にすると三億元以上の節約につながる。

馮偉忠

同じ一度の電力を発電するのに二十パーセントの省エネが可能になる。これは石炭消費を二十パーセント削減するだけでなく、CO_2排出も二十パーセント削減する。

摂氏十七度以上の外気では、外三の排出口からは水蒸気すら見えない。煤塵除去脱硫は百パーセントに達し、ゼロ排出と呼ばれている。

馮偉忠が目指すのは世界一ではない。彼は発電所の新規建設を更に計画しており、石炭消費削減の取り組みでは、最低ラインの概念はなく、更なる削減を目指すだけだ。

『ウォールストリートジャーナル』は外三を「世界で最も高効率の発電所」と称し、国際エネルギー機関（ＩＥＡ）は「地球上で最もクリーンな火力発電」と呼ぶ。中国は世界で最も環境に優しい石炭利用に取り組んでいる。

環境のためにイノベーションの努力を続けることにより、私達はより長期的なリターンを得ることができるだろう。

三、再生可能エネルギーで電力融通

発電所の巡回は李鵬福のルーティンである。彼が管理する太陽光発電所は青海省共和県、海抜三千メートル超すゴビ砂漠にある。

太陽光は現時点で最も普及したクリーンエネルギーの一つだ。太陽光エネルギー（ソーラーエネルギー）用の半導体素材は、太陽光の運動を電圧に変えて電力を生み出す。

太陽光発電設備は、地表の水分蒸発を減らすため、ゴビの植生が急速に回復している。この意外な副作用が李鵬福を悩ませることになった。

李鵬福（共和太陽光発電開発区メンテナンスセンター 副主任）
これらの雑草は我々の太陽光パネルの発電量に影響を及ぼし、また、冬季防火にも大きな影響を与える。

雑草除去自体はそう難しくないが、世界最大の太陽光エネルギー発電所となると別の話だ。李鵬福が働く共和太陽光発電開発区は、発電所単体の設備容量が八百五十メガワットあり、敷地面積五十四平方キロメートル、標準フィールド五千百六十個分の建設が可能だ。李鵬福は毎年冬が来る前に除草作業を行う。

李鵬福
除草費用だけで年間百八十万元近くかかる。

二〇一六年末、周辺の遊牧民が二千頭のチベット羊を引き連れて太陽光発電開発区に入居した。羊は三百頭ずつのグループに分かれて仕事をした。ほとんどの雑草を食べ尽すことが可能だ。

四十キログラムのチベット羊は一日に五キログラムの草を食べる。二千頭の羊で十平方キロメートルを担当する。

除草はささいな問題だが、世界中の発電所にとっては、発電を継続できなくなる恐れがある難題だ。夜間や曇り、雨天の時には、太陽光発電の発電量はほぼゼロになる。晴天でも一片の雲が太陽光発電の発電量に多大な影響を及ぼしかねない。

私達の電力網は安定した電力供給を行うことが不可欠で、そうして初めて安全運転が可能になる。

四十キロメートル離れた場所に世界最大の太陽光発電所があり、強力なパートナーとなった。この発電所は太陽光発電の不足電力を補うのに数ミリ秒しかかからない。

黄河の流れが青海大草原を過ぎると、上流初のカスケード式水力発電所、龍羊峡水力発電所にさしかかる。龍羊峡河は二百四十メートル近い天然の落差があり、最も川幅が狭い所は三十メートルで、水力発電所建設にうってつけの地形だ。

龍羊峡水力発電所のダムは高さ百七十八メートル、長さ千二百二十六メートルで、黄河随一の水力発電所と呼ばれている。一九八六年に正式に貯水を開始した、面積三百八十三平方メートル、貯水容量二百四十七立方メートルの人工ダムである。発電所には設備容量百二十八万キロワットの発電ユニットが四台あり、二十四時間発電できる。

日の出とともに共和太陽光発電開発区で発電が始まり、同時に龍羊峡水力発電所もピーク調整を始める。黄河公司の龍羊峡水力発電所と共和太陽光発電開発区は、水力発電と太陽光発電が電力を互いに融通し合う世界初の事業に取り組んでいる。太陽光発電は水力発電の仮想ユニットとして、電力網に共に接続されている。

水と太陽光は、地球で手を携えて生命を創造し、陰陽のバランスをとる、これは中国最古の智恵である。中国人は大河やゴビ砂漠を利用し、太陽光の限界を克服し、従来型のエネルギーと新エネルギーによる効果的かつ協調した運営を実現するイノベーションを成し遂げた。現在の中国で、太陽光発電は様々な地形に普及し続けている。丘陵が多い福建省では、太陽光発電は山に沿った段々畑をカバーしている。現代技術が自然に融け込み、趣のある景観となっている。

水系に恵まれた浙江省では、面積四千四百九十二ムーの養殖池で、水面下で魚の養殖、水上で太陽光発電が行われている。華北平原では、太陽光発電と風力発電が協調発電している。河北省張北県では、北方から吹く風がタービンを回して発電している。風力発電の効率は高く、今後は石炭火力発電のライバルになるクリーンエネルギーだ。ただ、無風時にどう対処するか、風力エネルギーのネックを克服することができるだろうか。

国家風力・太陽光蓄送電実証拠点では、この難題の解決法として、風力発電ユニットと太陽光発電ユニットに電池を使用している。電池ユニットは風力や日照が十分な時にはエネルギーを貯め、気象条件が悪い時にはアウトプットして、電力網に必要な安定した出力を維持している。高性能電池が登場したことで、自然エネルギーをより効率良く、コントロール可能なものに変えた。

ただし、中国では、全ての地域が複数のエネルギーを調整できる環境にはない。やはり、私達は天候に左右されないエネルギーを開発する必要がある。

敦煌は中国西部のテンゲル砂漠の端にある。年間日照時間は三千時間強、太陽光はこの地域最大の「特産物」だ。太陽光を集める鍵はこの鏡にある。この巨大な鏡は一枚が百十五平方メートルある。日の出前は鏡の洗浄に絶好のタイミングである。千五百二十五枚の鏡が高さ百三十八メートルの集熱器を囲み、太陽熱発電所を形成している。太陽熱発電所は一日平均八時間稼働し、日照強度が発電基準に達すると、エンジニアが鏡の角度を調整して太陽光を反射してタワー上部の集熱器に集める。

黄文博（太陽熱発電所副指令官）

設備稼働には予熱が必要で、予熱温度が二百〜三百度になると溶融塩が塗布される。

集められた太陽光は摂氏千度の高温になり、集熱器はタワー下部の五千八百トンの溶融塩に熱を伝える。水で溶融塩を冷却

するプロセスで大量の蒸気が発生し、蒸気タービンを動かして発電する。太陽の位置は常に変化するが、鏡は正確に追随できるのだろうか。

黄文博　太陽が東にあれば東向きに、西にあれば西向きに、常に正確に一点に照射することができる。

二軸追随技術により、鏡はヒマワリの原理を実践している。プログラミングにより、太陽が位置を変えても最良の反射角度を維持し、追随精度は〇・〇三度から〇・〇五度だ。この素晴らしい鏡にはヘリオスタット（Heliostats）という象徴的な名前がついている（ギリシア語で太陽を意味する helios と静止や固定を意味する statos に由来する）。

二〇一六年末、敦煌の十メガワットの太陽熱発電所が正式稼働し、電力グリッドに接続した。年間三万軒の家庭に百パーセントクリーンな電力を供給する。

この発電所の最大の強みは日没後に発揮される。

太陽熱発電所の頭脳にあたる制御室で、コンピュータが日中蓄積した熱を利用して発電する重要なオペレーションを実行している。

黄文博

集光から吸熱、蓄熱、換熱まで、全て自動制御で行われる。

溶融塩は、昼間は天候の変化によって、水力発電と同様にピーク調整し、夜間は火力発電と同様に安定した発電を行う。

これはアジア初、世界三番目の二十四時間発電の溶融塩タワー式太陽熱発電所である。各ヘリオスタットには極めて高い反射率が求められ、風や砂埃、雹にも耐える必要がある。発電施設ではロボットがフル稼働している。今回のミッションは鏡一万千枚だ。

敦煌太陽熱発電所前では、設備容量百メガワットの第二期工事が行われており、面積は七百八十四ヘクタール、二〇一八年末までに年間発電量三・五億度の巨大エネルギー拠点が完成する見込みだ。一万千枚の鏡は高さ二百六十メートルの吸熱タワーの周りに配置される。ここは敦煌の新たなランドマークになっている。

四、全超伝導トカマク型核融合炉

装置を建造し自然エネルギーを収集することは、現時点でクリーンエネルギーを探求する上で最も現実的な方法だ。我々はエネルギーをよりクリーンで高効率なものにしようと、性能向上に全力を挙げている。

ただ、科学者たちは必ずしも満足しておらず、未来のエネルギーたるものが存在し、それらを探し当てれば、エネルギーに対する人類の認識を根底から覆せるかもしれないと考えている。

科学者たちの第一のターゲットは太陽だ。

太陽は巨大な引力を利用して水素原子を重合し、巨大な熱エネルギーを放出する。仮に太陽が一秒で産出するエネルギーを収集できるとすれば、それは人類が数万年使用できる量に相当する。

科学者たちは地球上に「小太陽」を誕生させることができるのだろうか。

一九五〇年代、我々はすでに地球上で核融合を実現した。一九六六年十二月二十八日、中国初の水爆実験が成功し、中国は米国、英国、ソ連に次ぐ、第四の水爆保有国になった。

水爆の核融合反応により放出される巨大なエネルギー、この制御不能なエネルギーは人類を驚愕させた。私達には制御できるエネルギーが必要だ。

太陽の温度は摂氏数億度に達する。核融合反応の実現にはまず容器の課題を克服する必要がある。中国の科学者が建造した核融合実験装置はＥＡＳＴ（東方超環）と呼ばれる。この原理はソ連の科学者が提起したトカマクという概念に基づく。

トカマクはロシア語では「環状」「真空」「磁気」「コイル」という複数の言葉を組み合わせたものである。コイル状の循環器の中で、プラズマ電流と環状コイルが強い磁場をつくり、超高温プラズマ状態となった核融合物質を環状容器に閉じ込め、核融合反応を起こす。核融合発電所が建設される前、中国の科

学者たちが目指したのは、超伝導の環境で核融合反応の温度と時間を維持することであった。

龔先祖（トカマク装置実験遂行総責任者）

実験室内で起こるこの核融合反応は継続時間が非常に短く、わずか数秒だ。発電所を実現するには連続運行する必要がある。

二〇一七年七月五日、龔先祖と同僚たちは世界記録を達成した。摂氏五千万度の高温下で、ＥＡＳＴ（東方超環）は百一・二秒の定常状態ロングパルスでプラズマ体を閉じ込めることに成功した。

実験期間中、トカマク装置は毎日八十～百回稼働した。極めて難易度が高く、実験コストもかかるため、核融合研究は世界的な協力が必要だ。中国、米国、韓国、インドなど七カ国が共同出資して技術協力し、核融合装置の研究開発を行っている。二〇二五年には七カ国が共同建設する初の核融合炉がフランスで完成する。

六十年経過しても核融合反応による発電にはまだ至っていない。ただし、中国の科学者たちは、核融合は人類のエネルギー課題を解決する究極の方法であり、実現できると固く信じている。

龔先祖

いつ核融合を実現することができるのかと尋ねられれば、我々はこう答える。おそらくもう三十年から五十年はかかるだろう。一つの事業は一世代ではなく、二世代かかって完成するものだ。

科学者たちは核融合に対して自信に満ちている。なぜなら核融合の原料である水素は海水から得られるからだ。私達が暮らす地球にはエネルギーが至る所にある。エネルギーのイノベーションは最も身近なところにある可能性が高いと考える科学者もいる。

五、ナノ発電をペースメーカーの電源に

ナノメートルは長さの単位で、一ナノメートルは原子十個分の長さである。二〇一二年、王

中林はナノスケールを使い、摩擦によって機械エネルギーを電力エネルギーに転換することに成功した。

人類は日常活動で、圧力や摩擦により微量エネルギーを生み出すことができる。王中林の構想では、これらのエネルギーがナノジェネレーターを介して収集されれば、一部の特殊分野でエネルギー供給が可能になる。

王中林（中国科学院北京ナノエネルギーとシステム研究所 所長）

私達が取り組むナノエネルギーとナノ発電機は次世代エネルギーである。分散型・幅広い・数が多い・エネルギー消費が極めて少ないという特徴を持つマイクロエネルギーだ。

北京ナノエネルギーとシステム研究所では、王中林が六部門を率い、十数組の課題グループがナノエネルギーの開発を行っている。

王中林は今、二つの重要分野に取り組む研究員の実験の段階的レポートをヒアリングしている。

李舟は主専攻が医学で、現在はナノエネルギーの医学分野におけるブレイクスルーに力を入れている。許亮はナノエネルギーの全く新しい領域に挑戦する研究者だ。

来月初め、李舟は重要な実験を行う。それまでに新たなナノ発電機を作ろうとしている。

李舟（中国科学院北京ナノエネルギーとシステム研究院 研究員）

第一ステップでは、薄膜素材を必要な大きさに切り、物理的手法で表面にナノ構造をエッチング加工する。

第二ステップでは、表面加工済みの薄膜素材の裏側に金属電極をメッキし、ナノ発電による二層の異なる薄膜素材が接触した時に発生する電荷を感知する金属電極を作る。

最後のステッは組み立てで、ナノ素材を電極につけてパッケージングする。

李舟はこのナノ発電機を液体中でも稼働させたいと考えている。李舟の実験場所は上海長海医院で、胸部外科の主任医師である張浩と組んで、心臓ペースメーカーの電源にナノ発電を使い、大型哺乳類の体内に埋め込む実験を世界で初めて成功させた。

張浩（上海長海医院・胸部外科主任医師）
　具体的な移植方法は、胸部中心部を開いて心膜を露出させ、心膜に小さな切り口をつけ、そこから摩擦帯電型ナノ発電機を移植する。

張浩のオペと同時に、李舟のグループはモニターのデータに注目した。彼らはまず、ナノ発電機の出力と心臓ペースメーカーを動かすために必要なエネルギー量を予測した。テストを経て、李舟は三号ナノ発電機を選んだ。ペースメーカーを使う前にまず移植する発電機を充電しなければならない。これには数時間かかる。
張浩のグループは薬品を使って実験動物のバイタルサインを維持した。条件が良ければ八時間持ちこたえる。

李舟
　考えてみてください。心臓ペースメーカーもしくは他の電子機器を一度体内に移植したら永久に交換不要であるとしたらこれはとても大きな進歩です。

北京で、許亮研究員が王中林のもう一つの構想に取り組んでいた。彼は球形の摩擦帯電型ナノ発電機を制作していた。

許亮（中国科学院北京ナノエネルギーとシステム研究所 研究員）

まず、球形シェルに金属を塗り、次にその上に制電素材を塗り重ね、ナノ顆粒を混入する。球形シェルができたら、シリコン球に特殊処理を施して中に入れる。そうして、球形の摩擦帯電型ナノ発電機を支える。

機械で波の動きをシミュレーションすると、ナノ発電機は電流や電圧の反応を捉えた。許亮は実際の波ではどうなるか知りたいと考えている。

許亮

現在、単体の球が出せる最大電力は一ミリワットです。無数の小球をつなげたら、アウトプットできる力がかなり大きくなる。

十六個のナノボールを連結した方陣に小さな灯りを点す。推計では、深さ十メートル、山東省ぐらいの面積を三次元配列すると、地球上の人々の日常生活に必要なエネルギーを放出することができる。

王中林
これぞ小さなエネルギーから大きなエネルギーへという私達の夢なのです。成功すれば、私達のエネルギー取得ルートを根本から変えることができるだろう。

科学技術イノベーションにより様々なエネルギー計画が実現可能になる。収穫後のわらを発酵させて天然ガスに転換できる。中国石油化工（シノペック）は地溝油（工場の排水溝や下水溝にたまった油を精製した油）からバイオジェット燃料を製造し、実用化にこぎつけた。中国で最新の国家級開発区である雄安新区では、かつて石油開発に従事したスタッフが地熱を利用して無煙都市を実現しようと取り組んでいる。

新興エネルギーは私達に想像力溢れる未来の姿を見せてくれる。ただ、エネルギーが国家安全保障に深く関わる今日においては、中国で消費される石油の六五パーセントをなお輸入に頼る現状を早急に解決することが喫緊の課題である。

六、石炭から石油を生成（石炭液化）

包信和（中国科学院 アカデミー会員）

石油の用途は液体燃料や化学製品など多岐にわたる。石炭による石油代替、実は石油が持つ機能の一部はすでに石炭で代替されているのです。

衣服から高層ビルまで、私達の生活の様々な分野にはオレフィンが欠かせない。オレフィンは化学産業分野の基礎原料で、石油から大量のオレフィンが作られている。

包信和の主専攻は石炭由来オレフィンの生成だ。九十年前にドイツ人が石炭由来オレフィンの製造方法を発明したが、生成プロセスでは大量の水が必要で、CO_2を排出する。百年近くにわたり、世界の化学産業界では従来型の製造方法に代わる方法を研究している。

ドイツ留学から戻った包信和は、接触法を使い完璧な転換方法を見つけようと考えている。

包信和
今やらねばならないのは触媒を探すこと。必要なものは急ぎ、不要なものは減らす。

実験室で触媒を作るのが第一歩。次に反応させる素材を充填する。

実験室で反応させる素材の投与量はグラムレベルやミリグラムレベルだ。素材を小さなパイプに詰める必要があり、温度・圧力・投与量の微妙な違いで全く異なる製品ができる。

最後にハイスルーアット高圧マイクロ反応システムで操作する。

この三ステップは一見簡単そうだが、操作すると分かるが、日々変化し続ける実験だ。

二〇一六年までに、包信和と研究チームは石炭から低炭素オレフィンを抽出し、従来型製造方法の課題であった大量の水消費やCO_2排出の課題を克服した。米国の「サイエンス」誌は「マイルストーンとなる重要なブレイクスルー」と賞賛した。

このイノベーションの成果は、包信和が十年近くを費やし探求してきたものだ。

包信和

この分野は非常に重要であり、国家が必要とし、私達も心血注いできたので、いつか必ずブレイクスルーできると思っていた。

石炭由来オレフィンプロジェクトが商業化されれば、産業競争力が高まり、中国の石油輸入依存度も引き下げられる。

七、炭鉱跡地を利用した太陽光発電

今もなお、石炭は中国経済を動かす原動力である。山西省大同市は北魏時代から中国の重要な石炭生産拠点であるが、現在は五つの大型炭鉱を徐々に閉鎖し、先陣を切ってエネルギー転換を進めている。再生可能エネルギーで従来型の化石エネルギーを代替する、これは世界のエネルギー分野で進む阻むことのできないトレンドだ。

何世紀にもわたる石炭採掘が大同の現代化を支え、石炭採掘跡地があちこちに残されている。


石鑫（新エネルギー誘致プロジェクト経理）

溝だらけで高低差があり、緑化されていない砂漠化したほこりっぽい土地、人が住めない土地になっていた。


二〇一五年、石鑫と施工グループは採掘跡地で太陽光発電設備を設置するのに適した場所を探し始めた。徒歩で六千平方メートル余りの土地を歩き、最後に三千七百平方キロメートルの利用可能な土地を選んだ。

二〇一七年、大同市政府は採掘跡に十三の発電所を建設し、年間発電量は石炭四十八万トン分になった。

かつて旧来型エネルギーに大きく貢献したこの土地では、植生回復を行うと同時にクリーンエネルギーも産出されるようになった。

二年前、国家エネルギー局が「太陽光発電フロントランナー計画」を発表し、大同は中国初のフロントランナー拠点になった。

二〇一七年八月、国連開発計画（ＵＮＤＰ）が大同市で青少年キャンプを開催した。

キャンプサイトは大同市にある石鑫が責任者を務める有名な発電所だ。そこは、世界中で愛される中国の人気者をイメージしている。上空五百メートルから見下ろすとその答えが分かる。

石鑫

パンダ発電所は中米の先端コンポーネントを並べてパンダの輪郭を描き出したもので、クリーンエネルギーに対する青少年の興味や情熱をかきたてると思う。

子ども達は最初の授業で、ソーラーエネルギーで走るレーシングカーを組み立てる。その後十日間、エネルギーや環境保護に関連する十余りのアクティビティに参加する。二匹のパンダは啓啓（チーチー）と点点（ディエンディエン）と名づけられ、クリーンエネルギーの出発地点を象徴する場所になっている。今後、啓啓と点点は毎年一億度のクリーンエネルギーを供給し、クリーンエネルギーの普及活動の一環であるパンダキャンプも毎年開催される予定だ。

様々なエネルギーの中から、私達は自然と調和し共存が可能な最適な方法を探し続ける。エネルギーが抱える課題を一気に解決することは無理でも、エネルギー開発の途上で、イノベーションの思考・試み・体験を大切にし、イノベーション・スピリッツを胸に、活力溢れる未来を目指し続けることが大切だ。

1　平均熱量が五千キロカロリー／キログラムの石炭。

第三章 中国製造業のブレークスルー

現代人の生活は「製造」に支えられている。簡易な製造から「スマート」製造へと、中国は全く新しい競技レーンに足を踏み入れた。機器・生産・製品、全てが定義し直される。従来型製造業はどこに向かうのか。煩雑で複雑、常に進化する技術や発明を通じて、進化する製造業の最前線や息吹を学ぼう。本章では、世界で最も薄い板ガラス、最もフレキシブルなロボットアームを紹介するとともに、たゆまず努力し、奮闘し続ける職人魂を紹介する。

製造が可能になり、新たな世界が見え始める。

製造業で技術革新が起こるたび、私達の生活には大きな変化がもたらされる。

中国は驚くべきスピードで製造分野で頭角を現し、中国製造は世界を席巻した。新たな産業革命の幕開けだ。イノベーションにより、強者を産み、未来を形作ることができる。

一、ハイエンド超薄板ガラスの開発生産

私達の日常生活にガラスは欠かせない。

ガラスの用途は私達の想像を遙かに超える。スマートフォン、テレビ、コンピュータなど益々多く使われるようになり、情報ディスプレイ分野では注目の的だ。

当然、キーマテリアルは普通のガラスではなく、ハイエンド製品だ。Ａ４用紙二枚程の厚さしかなく、振動させ、曲げることができるプラスチックの薄膜のようだ。砕けるまで誰も超薄板ガラスとは気づかない。

溶解炉の中では液状のガラス融液である。摂氏千六百度、人を数秒で気化させるに足る高温

だ。流動するガラス融液は圧延機でゆっくり薄く引き延ばされる。ただし、任紅燦の目指すものにはほど遠い。七年前、彼らのグループは、旧式の生産設備を廃棄し、厚さわずか〇・一五ミリメートルのハイエンド超薄板ガラスの開発を目指すと決めた。

任紅燦（情報モニター素材シニアエンジニア）
　これまで薄板ガラスの製造は海外が独占しており、私達は欧米や日本の後塵を拝してきた。キャッチアップを図ってきた。

　これまでずっと、中国は高品質ガラスの製造能力で劣っていた。一つには、ローエンドのガラス生産設備の過剰がある。生産ラインが全て稼働したと仮定した場合、年間六十二億元の損失を生む。もう一つには、原料供給逼迫に喘ぐ国内コンシューマーエレクトロニクスメーカーは輸入頼みで生産を維持するしかない。これによりメーカーの利益は圧迫され、製品価格も高止まりする。任紅燦達はチャンスをものにして、超薄板ガラスでこの状況を打開したいと考えていた。

任紅燦

ここ数年の超薄板ガラスの発展はイノベーションに支えられてきた。最薄ではなく、人々の生活ニーズにあった製品、軽薄化に関する飽くなき探求が続いている。

完全に溶融したガラス融液で、自然に落下する状態では、厚みは六ミリメートルより薄くはならない。通常の製造ではガラス融液を三分の二の薄さに引き延ばすのが精一杯だが、限界を突破するには、〇・〇一ミリメートル薄くするごとに挑戦の難度が高まる。

まず、克服しなければならないのが原料の配合だ。

ガラスを引き延ばすのには、特殊な金属酸化物を添加し、溶融液の延性を高める必要がある。ただし、添加しすぎると製品がもろくなる。

一体どのくらい添加したらよいのだろうか。研究スタッフは模索と実験を重ねるしかなかった。

甘治平（超薄板ガラスの研究者）

通常、一日に実施できるテストは一、二組で、その後、相対的に信頼できるデータを得ることができるまで一年程かかる。

原料の課題が解決しても、生産プロセスで歩留まり率が一向に改善されない。ガラス融液が流動するのに伴い、摂氏千度近くまで急速に温度が下がる。同時に、熱が均一にあたらないため、同一の水平線上のガラス融液には温度差がでやすい。こうした状況下で、ガラスを引き延ばして形成するのは難しく、安定して大量生産できる保証もない。任紅燦は、もっと精緻な加工技術が必要だと悟った。

任紅燦

空間立体ネットワーク化と呼ばれる加熱方法を提起した。例えると、空間を上から下まで格子で一つ一つ区切っていくようなものである。

温度調節に使う四十個の電気カプラーが錫製タンクに取り付けられた。これは正確に計算された結果である。各点がガラス融液と立体交差して制御し、温度を均一に下げる。最適温度まで下がると、ガラス融液は薄く平らに延びる。

二〇一一年からガラス職人たちは一つ一つ壁を乗り越え、二ミリメートルから〇・五五ミリメートルへ、更に〇・二八メートルへ、五年後には遂に〇・一五ミリメートルの壁を突破した。二十本以上の生産ラインを続いて建設した。これにより川下産業は八百六十億元のコスト削減が可能になった。また、中国の消費者にとってかつては高嶺の花だった液晶テレビが、今は三、四千元で買えるようになった。かつて五、六千元したスマートフォンも今は一、二千元で買える。市場を見れば、中国のガラス産業が華麗な転身を遂げたことが見て取れる。

ガラス産業に留まらず、過去数十年、中国の製造業は猛スピードで発展したが、安かろう悪かろうの競争モデルは限界に達した。未来はキーテクノロジーを確立した者が手にする。

二、福島原発で冷却支援した世界最大のブームポンプ車

特殊鋼製の七段ブームが次々に展開し、最後のブームが伸びるとブームの長さは八六メートルになる。中国の民間企業が開発した世界最大のブームポンプ車だ。

二〇〇七年から現在まで、六十六メートルから七十二メートルへ、更に八十六メートルへと、世界記録を更新し続けている。

ブームポンプ車は、数十メートルに達するブームでコンクリートポンプを正確な位置に届ける建設機械業界のハイエンド設備だ。

向文波の数十年にわたるキャリアと人生の歩みは、中国経済の歩みと完全に重なる。

これまでの人生で重要な転機があった。

一九九〇年代、ブームポンプ車はなお海外技術の独壇場だった。

ブームポンプ車の要はブームである。数十メートルの高さまでブームを伸ばし、ポンプを送る時の巨大な圧力に耐えねばならず、ブームを製造する鋼板の強度は六百メガパスカル以上な

ければならない。しかし、当時この素材を供給できるのは海外の製鋼所だけだった。

この企業は現状に甘んじたくないとしてある特殊技術を開発し、国産鋼板の強度を劇的に向上させた。

向文波（企業家）
もし、この技術を得ることができなかったら、三一重工は世界の産業チェーンにおける輸送業者の一つで終わっていただろう。
イノベーションとは、これまでなかったもの、これまで取り組もうとしなかったもの、これまで誰も手をつけようとしなかったものを創り出すことだ。

改造した鋼板は千メガパスカルの圧力にも耐えうる、例えれば、指の爪の上にゾウ一頭を乗せることが可能な強度である。この強度により全てが変わった。

二〇一一年、彼らは重大な挑戦をすることになった。

この年、日本の福島原子力発電所で放射能漏れ事故が起き、直ちに原子炉をポンプ水で冷却する必要に迫られたが、日本にはこのハイレベルな任務を遂行できる設備がなかった。

この中国企業は支援要請を受けて、六十二メートル級のブームポンプ車を現場に派遣した。

向文波
今、私達が日本に行って三一重工の者と名乗れば、日本の人々は、私達が日本に送ったポンプ車は「キリン」と呼ばれ、日本人の命を救ったことを思い出し、命の恩人であると感謝を述べるだろう。

その後、この中国ブランドも転機を迎えた。建設工事は増え続け、コンクリート機械の市場シェアが世界一であるのに、厳しい冬の時代を迎えようとは誰も予想できなかった。

二〇一二年、世界経済が冷え込む中、中国建機業界は冬の時代を迎えた。コンクリート機械の販売量はそれまでの三百億元強からわずか三分の一にまで急減した。

厳しい状況の中、彼らを救ったのは別業界へ転向することではなかった。過去数十年蓄積してきたキーテクノロジーにかけ、より競争力のある新製品を開発した。

向文波

私達はポンプ車の技術を進化させ、世界初の高層消防設備に変えた。それまでの消防車はいずれも直線ムーブであったたが、消防救援の現場は非常に複雑で、障害を乗り越える能力が必要とされたため、競争力ある製品の一つとなった。自主開発したキーテクノロジーを基に自然と延長産業が形成された。

めまぐるしく変わる世界で、次に何が起こるか誰にも分からない。数十年の浮き沈みが中国企業に語るのは、信じられるのはキーテクノロジーだけということだ。

近年、さらに多くの中国企業が世界に名をとどろかし始めている。船舶、橋梁、原子力発電、中国製造業が世界で確固たるポジションを築いている。高速鉄道は私達の行動様式を変えただけでなく、世界規模で中国標準を普及させた。

ただ、ここで足踏みするようなことはない。四川省成都市では、エンジニア達がリニアにより世界の軌道交通の未来を変えようとしている。

三、超高温伝導リニアの開発

西南交通大学の牽引動力国家重点実験室で、鄧自剛はある「おもちゃ」を作った。半年以上をかけて、数十万元を使って出来たこの「おもちゃ」は、未来の高温超伝導リニアとはどのようなものか教えてくれる。

鄧自剛（西南交通大学・准教授）

この模型の最大の特徴は三百六十度安定したサスペンションを実現できることだ。そこで、私達はこの車両が軌道上に浮上したり、軌道に接地したりするのを見ることができる。

同極が向かい合った二つの磁石は互いに反発し合う、リニアの最も基本的な原理はこのように単純だ。浮上した後、列車と軌道が離れ接触し、摩擦力はゼロになり、理論上、「飛行」速度は時速五百キロメートル以上になる。これは軌道交通が追い求めてきた速度だ。ただ、実用化は理論ほど単純ではない。

上海で世界初の商業化高速リニア線が導入されてからすでに十五年。今では、このドイツ人の技術を継承して更なる発展を遂げようとは思っていない。より速く、より効率よく、より省エネ。超伝導技術の飛躍的な進展は、リニア技術の未来を明るく照らしている。

摂氏零下百九十六度の液体窒素を注入し、特殊素材で作る小さな車両は、一瞬で超伝導に変わる。電磁素材でできた環状軌道の上に置くと、電源が無くても安定浮上する。

鄧自剛

浮上に電流は必要ない。ご覧の通り、中に液体窒素を注入するだけでよい。将来、私達が実用化する高温超伝導リニアの原理は、私達のメビウスの輪という小さな模型と全く同じ物である。

ただし、鄧自剛はこれに満足している訳ではない。彼はプロジェクト名に「真空管道」(真空ルート)の四文字を加えた。つまり、高温超伝導リニアを真空ルートに入れて運行し、空気抵抗を更に減らそうとしている。

鄧自剛の目標速度は時速千キロメートルである。世界の同業者達も我先にと争っている。

鄧自剛
日本は低温超伝導リニアの商業化に取り組んでおり、彼らはリニア新幹線と呼んでいる。米国はスーパー新幹線に取り組んでおり、時速千キロメートルを超す新幹線に照準を合わせている。

鄧自剛はより多くの技術イノベーションにより、中国製造は再び世界の軌道交通の先頭集団を走ることができると信じている。

四、中国初の国産大型旅客機C919の開発

二〇一七年五月五日午後の上海浦東空港。旅客達は近くの滑走路で間もなく歴史的な瞬間が繰り広げられようとは夢にも思わなかった。

離陸しようとしていたのはC919、中国初の国産大型旅客機。私達が長年待ち望んだ夢の瞬間だ。

国際製造業のハイレベル・精密・先端分野、特に航空輸送市場はかねてより中国人の課題であった。大型旅客機がないため、これらの技術を有する国に比べて、航空機を一台購入する度に二千万ドル余計に支払わねばならなかった。今後二十年では、千二百億ドル余分に支払うことになる。

C919は初の試みではない。一九七〇年、中国は大型ジェット旅客機の製造プロジェクト、コードネーム「運十」を立ち上げた。孟見新は幸運にもこの試みに参画した。テスト飛行の成功から六年後、様々な原因によりこのプロジェクトは打ち切られた。

開発を放棄した訳ではなく、二十年後に孟見新と同僚達は再出発したが、今回、彼らは疑問にぶつかった。

孟見新（C919航空機艤装センター副主任）

身近な友人達から、航空機の搭載設備を見ると、主な素材やエンジンは外国から調達したものではないかと尋ねられる。

製造開始したばかりの頃は、国産化率は慎重に十パーセントと定められた。他の工業製品と異なり、大型航空機の製造は極めて複雑である。

構造上、大型航空機の十大部分は、それぞれ十個以上のシステムと関連し、部品は数十万個にのぼる。航空機の体積の五百分の一にも満たないランディングギアには、液圧、制御、電気、減震を含む十三のシステム、百八十個の大型部品が集積している。ランディングギアを機体に装着するのに六人がかりで八時間以上かかる。

このような複雑な構造を中国は完全自主設計した。さらに重要なのはこの大型航空機を国際舞台に乗せようと考えたことだ。それには一つ一つの部品が世界の安全基準を満たす必要があり、欧米の民間航空の耐空証明を取得する必要がある。

孟見新

なぜそれほど厳しい規定があるのか。それは数十年にわたる事故の教訓があるからだ。

例えば、国内で高品質であるとしても民用耐空証明を取得していなければ、リベット一つも使用しない。

孟見新は今、新しい切削片をテストしている。ダイヤモンド製のバイト部分は新型炭素繊維素材を切るためのものだ。

それは軽量、高強度なコンポジット素材で、西側の航空産業では五十年近く用いられ、加工技術が熟達している。だが、中国はこの半分の時間で炭素繊維の大型形成技術でブレイクスルーを実現し、かつ、Ｃ９１９の翼に用いられる予定だ。

個々の細かな変更が全体のレイアウトに影響を及ぼす。大型航空機の製造過程では、反復と更新を続けることが不可欠だ。

十年で所期の目標である十パーセントの国産化率を大幅に上回り、現在は五十パーセントの国産化率で耐空認証を取得しようとしている。過去十年で大型航空機だけでなく多くの航空会社が企業として成長したことも要因である。

孟見新
思い出す度悔しいが、今振り返れば、私達の努力は無駄ではなかった。このようなプロジェクトに参画することができたのも、現在、国力が増していることが背景にあり、それでこそ航空機製造ができるというものだ。

二〇一七年五月五日、中国初の国産大型航空機の初飛行は成功した。

二〇一七年十月、C919は世界の二十四社から七百三十機を受注した。中国は遂にこの長期にわたり一部の国が独占してきた産業分野に切り込み、しかも川上・川下の二百四十二社のマステクノロジーにおけるブレイクスルーが促された。

これで努力をやめた訳ではない。

航空産業分野では更に多くの世界レベルの難題を克服する必要がある。

五、航空機エンジン用チタンアルミ合金ブレードの開発

これは人類史上最も複雑な建設機械システムの一つである。中国は米国と英国に次ぐ、第三の民間用航空エンジン市場の独占を目指しているが、まだ実現はしていない。科学者達はまず世界で最も高効率のエンジンブレードの製造を決め、目立たない実験室で密かに取り組まれている。

楊鋭の開発グループは次の工期とノードを確認した。二〇一八年、彼らは百件以上の低圧タービンエンジンブレードを納品する必要がある。顧客は世界トップ三の航空エンジンの巨頭である英国のロールスロイスだ。

楊鋭（中国科学院金属研究所 所長）

二〇〇六年、英国のある教授から電話が入った。二〇〇六年七月に英国ロールスロイス社が新たに航空機三百五十機にエンジンを供給すると発表する予定で、このエンジンにはチタンアルミニウムのブレードを採用する。現在世界中でこのブレードを作れる所を探し

ていると言った。

チタンアルミ合金はエンジンブレードの未来を担うと期待される新素材だ。この新素材は強度も安定性も高く、密度は従来のニッケル基合金の半分で、二十パーセントの燃料油効率を向上させるため、エンジンメーカーがこぞって追い求めている。ロールスロイス社も例外ではない。同社は、コストを抑えるためにこのブレードはインサート成形（一体成型）でなければならないという更なる難題をぶつけてきた。

インサート成形の製造プロセスは卵を蒸すのに似ており、液体を容器に入れて成形する。ただし、チタンアルミ合金の場合、適した「碗（容器）」を探さねばならず、困難が伴う。

楊鋭

私達は当時、このシミュレーション理論を信じておらず、信じていたら取り組まなかっただろう。当時私達は困難に立ち向かい、シミュレーションが正しいか計算した。イノベーションの実現には過去の概念を覆し、果敢に挑戦する必要がある。チタンの科学活性は強すぎ、ほぼ全ての金属やセラミックと反応した。反応しなかったのは三種類のセラミック素材だけだった。一つ目は酸化トリウムだが、トリウムは放射性があり使用できなかった。二つ目は酸化カルシウムだったが、吸湿し、保存できないため、これも使用できなかった。最後の一つが酸化イットリウムだった。

これは唯一の最もチャレンジングな選択だった。酸化イットリウム製の容器の表面は粉末状ではげやすく、かすが出て、チタンアルミ溶液を汚染し、ブレードの精度不足を引き起こす。ドイツの科学者はシミュレーションで二百ミリメートルのブレードをインサート成形するのは不可能だと断定したが、楊鋭のチームはこれを鵜呑みにしなかった。

専門の異なる科学者が集まり、十年の歳月をかけて特殊な接着剤を調合すると、酸化イットリウムはかすが出ることなく、遂にブレード容器の課題を克服した。

専門分野を超えた協力は破竹の勢いで、鋳造に関する暗号を一つ一つ解読していった。世界初のチタンアルミ合金製タービンブレードのインサート成形は、このように普通の実験室で誕生した。

このブレードはロールスロイス社が世界で最も高効率のエンジンに搭載する予定だ。楊鋭は遠くない将来、中国人が自主開発した航空エンジンにも寄与するはずだと信じている。

六、超精密国産工作機械の開発

大樹はジュエリーデザイナーだ。五百以上の作品を作ったが、常にシンプルな課題と向き合ってきた。

大樹（ジュエリーデザイナー）

ドラゴンとフェニックスをあしらった指輪のように、一つ一つの角のスパンが細かすぎて標準化できず、手作り感があり、完全には標準化されていないそんな製品だ。

大樹の課題は実は克服可能だ。精密なジュエリー用工作機械がデザインコンセプトの実現をサポートしてくれる。

張文甲は工作機械エンジニアで、ジュエリー用工作機械の設計・製造を専攻した。長年、彼は大樹のようなデザイナーの願いを叶えられずにいた。

張文甲（工作機械エンジニア）

この分野ではなお中国に対する技術規制が続いており、ハイレベル・精密・先端的な設備は中国向けとして当面出荷されないだろう。

ハイエンド工作機械は、機械製造業の「マザーマシン」と呼ばれ、少数の先進国だけがキーテクノロジーを握っている。たとえジュエリーデザイナーが使用するケースであっても、貿易保護や貿易障壁が取られている。

なぜなら、ハイエンド工作機械は世界のあらゆる重要製品の部品を作ることができる。大きい物では列車や航空機、小さい物ではコンピュータや腕時計などだ。しかも、複雑な曲面を加工できる五軸リンケージ工作機械は、製造業の今後の成長の可能性を左右するからだ。

張文甲の同僚である黄雲鷹のグループは、このハイエンド製造業の苗を自ら育てようとしている。

五軸リンケージ工作機械の要はデジタル制御システムの基盤で、工作機械の思考を決めるものだ。

エンジニアリングスタッフはこの基盤を「土壌」になぞらえ、この部分の技術を確立して初めて五軸リンケージ工作機械の「苗」を育てることができるとする。ただ、この「土壌」の配合は西側企業の手中にある。

では、黄雲鷹グループにその他の選択はあるのだろうか。

第三次産業革命が起きてから、情報やソフトウェア技術は成熟し、エンジニア達にチャンスを与えている。彼らは海外の経験に頼らず、全く新たなプラットフォームで独自の五軸数値制御システムを確立する決心をした。「土壌」がないなら、「栄養剤」を用いて栽培する。

考え方は素晴らしいが誰も実現できずにいた。

二〇〇八年から二〇一〇年にかけて、黄雲鷹グループは制御システムの「栄養剤」を作り出した。その後五年、一歩一歩壁を乗り越え、改善を重ねた。

二〇一五年、中国独自の五軸数値制御工作機械が正式に投入された。実に千九百十七回改良を重ねた。

制御精度は三マイクロメートルに達し、誤差の範囲は頭髪のわずか五分の一だ。

一方、張文甲の業務には二〇一五年以後ついに転機が訪れた。五軸リンケージ工作機械は、ジュエリー用工作機械の研究開発に大いに役立った。

若干の調整を加えると、このジュエリー用工作機械の機能は人々を驚嘆させた。〇・三ミリメートルの厚みの生卵の殻の上を工作機械のバイトが軽やかに動き、「創新中国」（イノベーション・チャイナ）という複雑な漢字四文字を刻んだ。

この五軸リンケージ工作機械はすぐに大樹の目にとまった。念入りにプログラミングを調整すると、完全に対称な丸角文字がゆっくりと刻まれた。

七、地震に強いプレハブ工法

先端製造業がもたらす驚きや変化を私達は次々と目の当たりにしている。

生産設備を大量に扱ってきた建築業界も新型製造業と軌を一にし始めた。

韓学惜はハウスメーカーのプロジェクト責任者だ。今、彼が主管する八つ目のプロジェクトが施工されている。

昔ながらの建築に馴染んだ人ならこのプロジェクトに違和感を感じるかもしれない。

韓学惜（盧河小学校プロジェクト 責任者）

ここに盧河小学校を建設する予定だ。小学校は千四百九十六平方メートル、三階建て、積み木方式で完成させる。基礎工事が済んだら、重鋼構造を、次に予め構築しておいた部材をクレーンで組み立て、外装工事を行い、最後に屋根を組み立てて完成する。

昔ながらの住宅建設方式では、あらゆるプロセスがほぼ建設現場で行われ、無駄な費用も多く、環境汚染も生じた。しかし、この新しいプレハブ工法はこれとは異なり、製造業の手法を取り入れている。家屋の一つ一つの部材はニーズに沿ってラインで製造され、素材の歩留まりは三パーセントを切る。工事現場では水や電気の必要量も減り、電動ドリルとアーク溶接で建物を地上にすみやかに建てることができる。

建物の安全性は大丈夫だろうか。

重慶で、劉立平教授は新工法で建てられた家屋に対する耐震テストを行っている。八級レベルの地震（中国は独自の十二段階の震度階級を使用）が発するエネルギーは千五百万トンのＴＮＴ爆薬と同程度の威力がある。このような新タイプの建築は受け入れられるのだろうか。

劉立平（重慶大学 教授）

内部の形鋼と外部の木板が一緒に働くことで、事実上、壁の耐震効果が産み出される。今回の実験では耐震機能がやはりよく発揮された。

蘆河小学校は一カ月以内に落成する見込みだ。鋼材二十トン、石炭二七・八トン、コンクリート二百四十トン分が節約される。数字だけ見ても驚かないかもしれないが、中国では今後十年で新規建設される建物の三十パーセントでプレハブ工法を用いると規定されている。そうなれば、世界で資源消費を十二パーセント節約することができるとのデータがある。

変化の激しい現代で、世界の産業構造がシャッフルされ、インターネットとＡＩを基盤とする産業変革が未来に無限の可能性を広げる。

八、超フレキシブルロボットアームでスマート製造

瀋陽産業博物館からほど近い場所に、ロボットの大本営がある。

様々なロボットが製造されており、子どもと遊んだり、お年寄りを見守ったり、お客様を出迎えたり、スマート家具を管理したりしている。

孫若懐は世界一フレキシブルなロボットアームをテストしている。

孫若懐（ソフトウェアエンジニア）

そのインスピレーションは人の腕の動きから得られた。私達の両手両腕は世界最先端の構造であると言える。

手は人類の最も優れた道具であり、私達にあらゆるものを創造する力を与えてくれる。産業用ロボットは人間の手と同じ特徴を持ち、生産プロセス全体がよりフレキシブルになり、スマート製造が実現する。

七つの自由度があるロボットは、生産に必要なあらゆるポーズをとることができる。ただし、より重要なのはエンジニアが全く新しい機能を加えたことだ。

この機能は従来のセンサーにより起動する訳ではない。孫若懐達は独自の方法を編み出し、電流の変化により、ロボットに外力の衝突を感じ取らせ、動きを止めさせる。

このように臨機応変で、安全かつ人間と機械が協働するロボットにより、フレキシブルでスマートな製造が可能になる。

様々なシーンで活躍するスマートロボットは、人類よりも賢く、疲れを知らない。

上海の洋山港では無人搬送車（ＡＧＶ）がコンテナを運び、その走行技術はベテラン運転手に匹敵する。誤差は一ミリメートル以内だ。

遼寧省瀋陽市の工場ではスマート倉庫が荷物の位置を思いのままに指示する。人間はボタンを押すだけでいい。

半導体チップ製造エリアでは、クリーンロボットが清潔な環境を保ち、高度なクリーンルームには余裕すら感じられる。

私達とは異なり、ロボットは昼夜問わず働き、苦労を厭わない。

当然、工場も変化する。生産ラインの上を流れる製品は固定されたものではなく、ユーザーの好みに応じてカスタマイズすることも可能だ。このように差別化されたエアコンが山東省膠州市の工場で製造されている。

現実は信じられないほど変化しており、新型製造の未来は私たちの体さえも変えるかもしれない。

九、3Dプリンティング技術を距骨移植手術に導入

関節は人体の骨格の中で最も精密な部分だ。もし、この部分の何らかの機能が失われれば、生活に大きな支障を来たす。中でも最も負荷がかかるのはくるぶしの関節だ。整形外科医の唐康来は治療が難しい患者に向き合っている。

唐康来（第三軍医大学西南医院　主任医師）

彼は外傷、高所から落ちたことにより距骨骨折を負った。以前から行われているいわゆる置換や代替により対処できるケースは稀で、距骨陥没壊死は整形外科分野ではかねてより最も治療が難しい症状の一つとされている。

くるぶしの関節の距骨壊死は、切断手術を行わない場合、移植しか道がない。ただし、長い間、満足いくような人工距骨はなかった。

この骨は普通に見えるが、形状が複雑で、四平方ミリメートルの表面には多くの曲面がある。

最も小さいくぼみはわずか二ミリメートルだ。

これは人類が数百万年進化した結果であり、最も精密な加工方法で作った人工距骨でさえ、耐荷重機能があるだけで、活動するのは無理である。

唐康来

従来の模型化製造による人工距骨はくるぶしの関節・距骨下関節を動かす事はできず、支える役割を果たすだけで、歩くと体がこわばる。

既存の常識を覆す製造方法により患者の運命が変わろうとしている。3Dプリンティングだ。従来の製造を木片彫刻に例えると、この新技術は樹木の生育に似ている。成形装置が素材を一層ずつ積み重ねていく。唐康来はこの技術を独創的に用いて、距骨移植という難題を解決している。

CTのデータに基づき、コンピュータで患者の失われた部位を復元する。ポリ塩化ビニル（PVC）素材を使って模型をプリントし、治療計画を検討する。それから、人工距骨をプリントする。

チタン合金の粉末が一層ずつ広がり、電子ビームが手順に従い設定された方法でスキャンする。溶解した粉末が一層ずつ重なり、凝固して成形される。九時間後、患者用にカスタムメイドされた人工距骨が造形された。

一見何の変哲も無い粉末の山が、強い気流とともに全く新しい世界となって吹き出される。

七日後、唐康来はこの人工距骨を患者の足に移植し、世界初の３Ｄプリンティングを使った距骨移植手術が成功した。

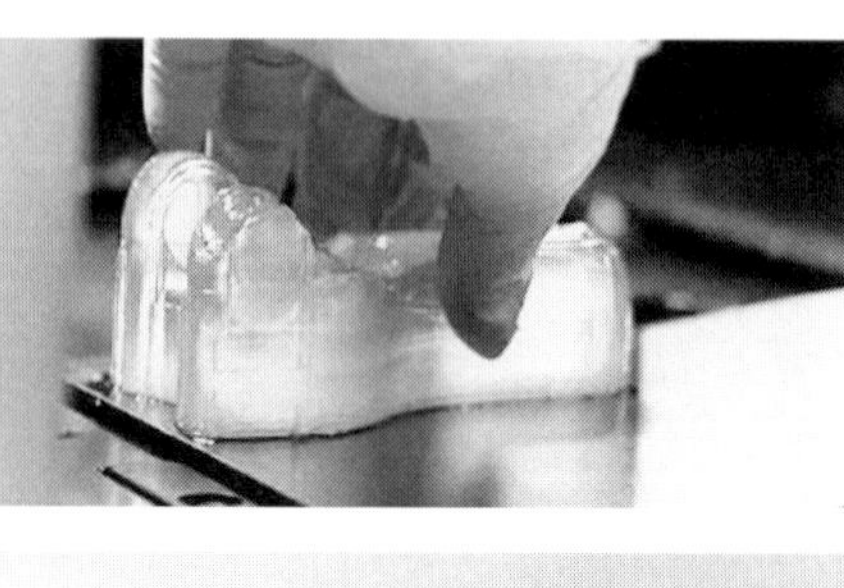

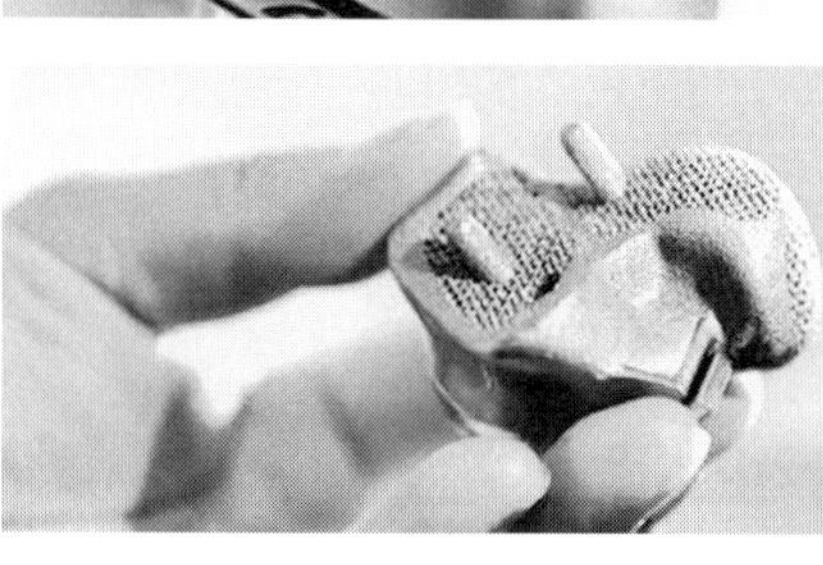

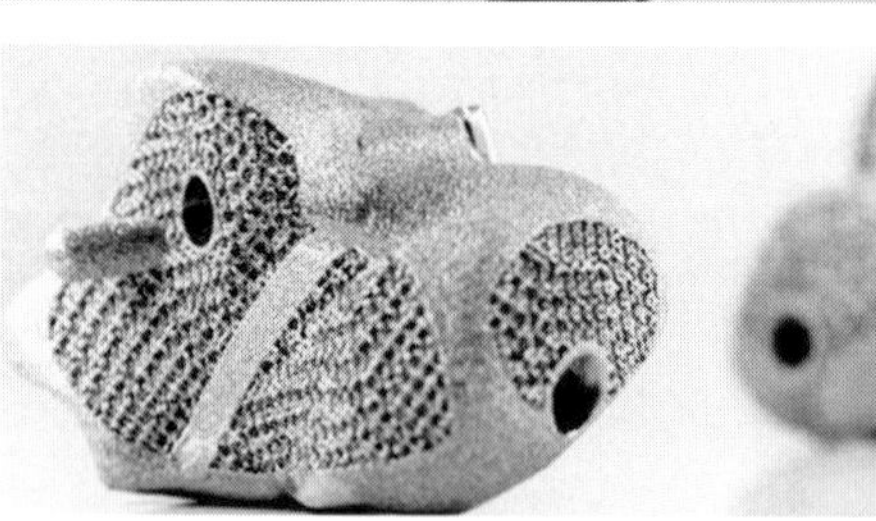

再び患者に会ったのは半年後だ。彼のくるぶしの関節は回復中で、正常な活動を始めていた。カルテの入手から移植物の製造まで、従来の加工方法では、少なくとも一カ月かかっていたが、３Ｄプリンティングなら二週間で完了する。さらに、予想に反して、これほど精妙な距骨のコストは従来の製造コストのわずか八分の一だ。患者にとってかなりの費用の節約になる。

３Ｄプリンティングに対する期待はこれにとどまらない。今後、バイオプリンティングされた人工臓器の人体への臓器移植が主流になる日が来るだろう。インサート成形で作られる精密部品やナノレベルのプリンティングでできたミクロなアイテムが製造の定義を覆すかもしれない。

わずか十年で、中国の製造業者は新たな可能性を次々と産み出している。かつては安かろう悪かろうの代名詞だった「メイドインチャイナ」は、正真正銘の実力とアイデアを備えたチャイナイノベーションに変わった。彼らの手の中で、新たな時代が今正に形作られている。

未来の製造はどのように変わるのだろうか。

形状も機能も全く新しい素材だろうか。

変幻自在の加工技術だろうか。

さらに高効率で省エネが可能な製造方式だろうか。

いずれにしろ、私達が思い描く未来の生活シーンのイメージは、製造により少しずつ形作られていく。全ては現在進行形だ。

第四章 ライフサイエンス分野の新たな挑戦

生命は時に化学式で表わされる。

人類は今、生命について学び、智恵や力を得ようとしている。限りある地球に生き、如何に病を克服し、寿命を延ばすことができるか。どのように穀物を増産し、飢餓を撲滅するか。斬新な物を創り出せないだろうか。中国の科学者は大胆な探求と慎重な検証を重ね、ライフサイエンス分野で驚くべき成果を次々と産み出している。

神話でも宗教伝説でもなく、生命は時に化学反応として表わされる。科学者が必要条件を整えれば、特定の化学反応が起き、生命を誕生させることができる。

実験室で一株のクソニンジン（キク科ヨモギ属の越年草）が育った。

ありふれた漢方薬の原料だったが、二十一世紀の初め、ある中国人科学者とともに、新たな中国を象徴するものになった。

屠呦呦はクソニンジンから有効成分のアルテミシニンを抽出した。

この成功は人類史上最大規模の伝染病の一つであるマラリアを見事に克服し、数百万人の命を救った。

そして、屠呦呦は自然科学分野でノーベル賞を受賞した中国大陸初の科学者になった。


屠呦呦（二〇一五年ノーベル生理学・医学賞受賞者）

アルテミシニンは、中国漢方薬の世界に対する贈り物である。

中国で静かに立ち上がったライフサイエンスという分野は、瞬く間に世界の注目を集めている。

かつて二十一世紀はライフサイエンスの時代と予測された。人類の生存に関わる課題に対して、ライフサイエンスがもたらしたブレイクスルーは、他のどの分野にも増して驚くべきものであろう。

死因につながる疾病が次々と克服され、生存環境がかつて無いほど高まり、老いて益々盛んになることはもはや夢物語ではなくなったかのようである。

私達はスーパー作物を作り出し、天候の顔色をうかがいながら生活する時代を変えようとしている。これらの話はＳＦ小説のように思えるかもしれない。

中国はテクノロジー時代の扉を開いたばかりだ。

一、蚊にワクチン接種でデング熱感染を抑制

広州市南部では週二回、人々は広く殺虫剤を撒いて蚊を退治する。これは二〇一四年に広州でデング熱が大流行したことの後遺症である。

蚊は人類の命を最も脅かす生物だ。毎年、世界では三・五億人が蚊の媒介する病気にかかり、七百七十人に一人が命を落としている。

デング熱は蚊が媒介する代表的な疾病である。雌の蚊が人間の血を吸い、それにより病気が広がる。

奚志勇の実験室では数千万匹の蚊を飼育している。彼の研究対称はヒトスジシマカ（通称ヤブ蚊）である。デング熱のウイルスはこの蚊が媒介する。特効薬やワクチンがないため、デング熱の流行抑制は主として蚊を退治することである。

殺虫剤は直接蚊を撃退するが、深刻な環境汚染を引き起こす恐れがある。ある程度時間が経つと、ヒトスジシマカも薬剤耐性をつける。この小さな殺人鬼が増えるのを防ぐ手立てはないように思われる。

奚志勇は、蚊にワクチンを打ち、デング熱ウイルスを蚊の体内に入れないようにするという斬新なアイデアを提起した。可能であるとすれば、そのワクチンはどんなものだろうか。

自然界では七十パーセント以上の昆虫の身体にはボルバキア菌という一種の共生細菌が付着している。ほとんどの場合、この菌と菌の宿主は互恵共存の関係にあるが、この細菌は蚊の体内に入るとデング熱ウイルスの複製を阻止する。

奚志勇（中山大学教授）

生物はそれ自身が自然システムの一部であり、自然の摂理に従った行動をとる。これが人類に多くのイノベーションをもたらす。

ただし、奚志勇が発見した秘密はこれだけではない。

ボルバキア菌に感染した雄のヒトスジシマカが野生の雌と交配し、その後に産まれた卵は孵化しない。

雌の蚊は一生に何度も産卵する。ワクチンを打った雄の蚊と交配すれば、一度に二百～三百匹の蚊の誕生を阻止できるだろう。

これで蚊の撲滅率がかなりアップする。

奚志勇

中国で蚊を放つなんて冗談だと思うだろう。でも、なぜこの方法ではダメなのだろうか。蚊を減らしたいなら、この方法で可能なら、殺虫剤と同じではないだろうか。

十七年前、奚志勇が米国の博士課程に在学中、蚊とボルバキア菌の共生関係を構築しようとしたが、理論の域を出ず、数十年にわたり誰も実現できなかった。奚志勇の実験も何度も中止せざるを得なかった。

ただ、奚志勇は難局を打開する鍵を手にしていると確信している。

彼は頭髪より細い石英の針を一年近く根気強く磨き上げた。この針を使い、長さと幅が一ミリメートルにも満たない蚊の卵を改造しようとしていた。

ライフサイエンス分野の科学者の多くはアーティストのようである。

顕微鏡を使って、奚志勇は蚊の卵からボルバキア菌を吸い出し、ターゲットである蚊の卵に注射する。

実験室の温度、虫卵の前処理、注射にかける時間や部位を入念に計算しなければならない。

ほんのわずかな誤差が失敗につながる。例えば、蚊の卵の損傷、針先の折れなど。万単位の針をダメにして、十万個の蚊の卵に注射をし、ボルバキア菌を持つ蚊がやっと一匹誕生する。これは人間の手により築かれた生命の連鎖だ。

現在、奚志勇の実験室には世界最大のモスキート・ファクトリーがある。ここは世界が注目する胚培養技術を有し、しかもボルバキア菌を持つ蚊を大量に生産している。

彼らの落ち着き先は五十キロメートル離れた沙仔島だ。沙仔島は三平方キロメートル、毎週、二千万匹の雄の蚊が放たれる。

実験開始から二年、ここの蚊の総数は隣接

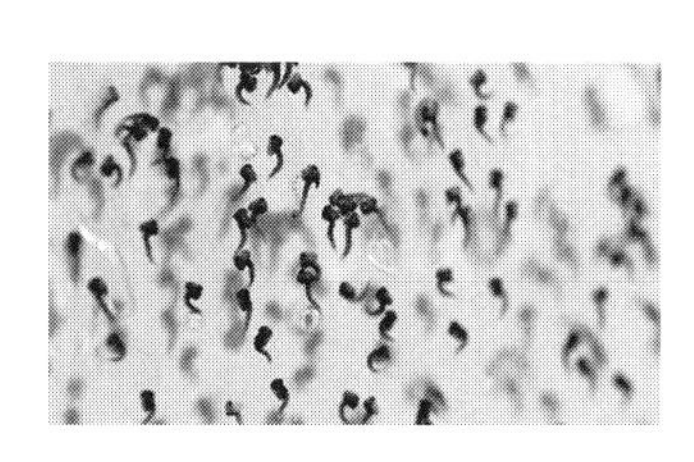

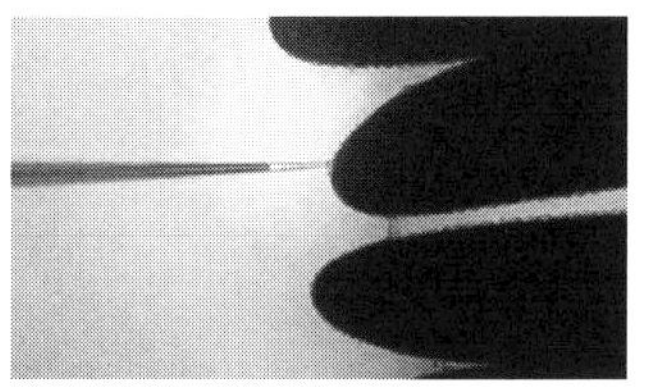

地域の蚊の総数のわずか十分の一で、デング熱媒介の基準にはまだ遠い。

少し前、世界保健機関（ＷＨＯ）が世界に向けてこの技術を宣伝し、デング熱ウイルス流行地域の三十九億人にこれまでにない疫病予防・治療プランを提供した。そして中国の広州で生まれた蚊が広い世界へと飛び立つことになった。

ライフサイエンスは人類の生存に関わる二つの基本課題の解決に力を注いできた。一つは病気との闘い、もう一つは食糧確保である。中国では後者も喫緊の課題である。人が多く土地が狭いなどの現実問題に悩まされており、如何に十分な食物を生産して中国人の需要に応えるか。科学者はバイオテクノロジーを用いて奇跡を起こしている。

二、渤海の塩田を穀倉地帯に変える

六月初め、小麦が熟した。

数千年来、この土地で現在のような広大な面積に穀類を植えることができるようになるとは想像すらできなかった。

上空二百メートルから見下ろせば、この麦畑が特殊な環境にあると気づく。海水を蓄えたエビ養殖池に囲まれているのだ。

ここはかつて塩分を多分に含むアルカリ性土壌だった。

欧陽竹（中国科学院地理科学・資源研究所 研究員）

元々この地は塩を晒す塩田だったため、土壌の含塩量が極めて高い。

海水の圧力で地下水が押し上げられ、含塩量が極めて高い地下水が地表へ吸い上げられ、地表の水分が蒸発した後に土壌の中に塩が残った。劣悪な土壌環境だったので、穀類の生育が難しかった。

中国では、耕作に適した土地は国土総面積の十三パーセントに満たない。中国の野菜や穀類の年間輸入量は、国外で六億ムー（一ムー＝一／十五ヘクタール）の耕地を作付けするのに等しい。十分な耕地の確保が喫緊の課題だ。

塩分を多分に含むアルカリ性土壌の改良は切り札の一つである。

一九八〇年代、出身学科の異なる科学研究者が黄淮海平原に集まった。欧陽竹もそのうちの一人だった。二十年の歳月をかけ、彼らは三千万ムー以上の塩性アルカリ土壌の改良に成功した。この奇跡は中国農業の「両弾一星」[1]と称えられている。ただし、この科学技術分野で取り組まれた総力戦は歴史的な難題を残した。それは海辺の塩性アルカリ土壌の一角であり、生命の死角でもある。塩分濃度が極めて高い土壌の地下水を汲み上げることは、塩性アルカリ土壌の改良に有効な方法だった。ただし、海辺ではこの方法は通用しない。

欧陽竹
　海水逆流の影響があるので、地下水位を下げると、また海水が流入する。いつも比較的高い地下水位が保たれる。

環渤海地域の五千ムーの塩性アルカリ土壌は、巨大な海綿のように、地下水に遮られることのない上昇ルートを提供する。この難題に中国人は三十年苦しんだ。だが、二百キロメートル離れた所にある工場で、あるアイデアが検討されている。

劉長生は欧陽竹のパートナーだ。劉長生のグループは塩性アルカリ土壌改造する秘密兵器を作っている。

三十年前の膨大な物理工学と異なり、今回の改造のツールは目に見えない生命である。微生物、その大きさはマイクロメートルでしか計算できない。

丹精に育てた微生物達は、劣悪な塩性アルカリ土壌の中で息づいている。新陳代謝の過程で、多くの土壌の物質が徐々に凝固して一つになり、団粒構造を形成し、土壌の中の地下塩水の上昇ルートを塞ぎ、植物の成長に最も有利な空間を作り出す。

逆境の中、生命が生命を産み出した。

今回のブレイクスルーにより、中国人が土壌改良で切れるカードが増えた。渤海の穀倉地帯、目標は環渤海の低平原地域の塩性アルカリ土壌の改良だ。

これは二・六億人に裨益する三十年がかりの大型農業科学技術事業だ。

二〇二〇年に、渤海穀倉地帯は五十億キログラムの穀物生産に貢献し、開発ポテンシャルのある中国の二億ムーの農業の塩性アルカリ土壌に貴重な改造経験をもたらすだろう。

ただし、土壌改良は氷山の一角にすぎず、長い時間を要する品種の選択や育成から、持続的な環境モニタリングまで、どのイノベーションにも代々固守し、限りない継承を重ねた成果が凝集されている。

三、北京の食卓を支えるスマート野菜工場

ある人は荒れ地に注目し、ある人は都市部の森林に目をつける。それがスーパーシティ、北京である。現在、二千三百万人がこの地に集中している。

一日一人あたり一キログラムの野菜を消費すると仮定した場合、北京の一日あたりの野菜消費量は二万トンを超す。

わずかな土地が金一升に値する都市では、広大な土地を使った野菜栽培など夢物語だ。

現在は交通が発展し、物品をどんな場所にも思うように届けることができると思うかもしれない。しかし、最も新鮮な野菜は長く困難な輸送には耐えられない。

これを解決する名案はないのだろうか、スーパービッグシティの野菜供給を確保することは

できるのだろうか。答えはイエスだ。

そこは野菜王国だ。万物の成長は太陽に頼らなくてもよい。専用の照明で、植物の光合成に最も必要な赤色や青色の光を提供する。入念に配分された栄養液のおかげで、土壌ではない垂直スペースで植物を育てることができ、栽培に必要な面積がかなり減った。

通年で連続栽培することが可能になり、ここでの野菜の生産量は同じ面積の土壌での生産量の百倍に達した。この技術は「プラント・ファクトリー」（植物工場）と呼ばれる。今は、実験室を出て私達の日常生活で活用されつつある。

北京市内を走る環状高速道路の一つ、北京六環路の外側にある新型栽培拠点で、初めて植え付けしたバターヘッドレタスが成熟した。

ここではプラント・ファクトリーの水耕栽培技術を導入している。スマート管理により、レタスの発芽から収穫までわずか二十日しかかからない。管理スタッフ三人で二百平方メートルの工場を管理できる。工業製品の生産ラインと同じで、決まった時間で野菜を大量生産することができる。

電子商取引（ＥＣ）サイトを通じて、人々はこの野菜を簡単に購入することができ、収穫後六時間以内に、新鮮な野菜が家庭に届く。

将来、人口二千万人のスーパーシティ向けの野菜の供給を高層ビル数棟で対応出来るようになるかもしれない。

中国は世界でこの技術を確立した数少ない国の一つだ。

四、ゲノム編集技術で品種改良

ライフサイエンスが飛躍的に進展する中、中国は天賦の資質に恵まれていることが分かった。中国は世界最大の人口を有し、ほぼあらゆる自然帯をカバーし、豊富な種が存在している。それらは巨大な富を抱えているのと同じで、未来の戦略資源である。

深圳の大鵬新区にあるビルでは野心的なプロジェクトが進められている。専有面積十二万平方メートルに満たないこの場所に、世界のあらゆる種を受け入れようという試みだ。

ここでは、幾つかの大型ストレージ施設で無数の生命をデータ形式で永久保存している。深圳国家遺伝子バンクである。

地球上のあらゆる生命には遺伝子があり、遺伝情報を記録したDNAを有している。

細胞の深部にあるDNAは二重らせん構造をしている。二本の長い鎖の上に塩基が対称に配列されており、その数は億を超える。ところが、全ての塩基はわずか四タイプに分類され、科学者はA（アデニン）、T（チミン）、C（シトシン）、G（グアニン）の四文字で標記している。これらの塩基配列で生命の全ての秘密が記載されている。

ある不思議な解析器で、その秘密が解読されるかもしれない。それはDNAシークエンシング解析器である。

生物からDNAを抽出してバイオチップを作り、解析器に入れ、USBメモリを読み取るように、解析器がその中の情報を四文字の配列順序に置き換える。

百五十台の解析器は二十四時間稼働している。中国人は世界最大の総合ジーンバンク（遺伝子バンク）を運営している。
ＤＮＡ配列は生命の設計説明書であり、その中にある法則を解読することで、重要疾患の治療、絶滅種の再生、スーパー農作物を産み出すことに役立つ。

高彩霞（中国科学院遺伝と発育生物学研究所 研究員）
私の夢、ひいては全人類の望みは、遺伝子操作の際に思い通りの箇所をピンポイントで操作できるようになることだ。私はターゲットとする遺伝子に対して、遺伝子の配列を直接操作することが出来る。

中国科学院のある実験室で、高彩霞は一株の小麦に注目していた。彼女は植物の品種改良のエキスパートだ。
以前、品種改良の専門家達は自身のことを月給制の農民だと冗談めかして言ったものだが、今は農業デザイナーと言うようになった。彼らは植物の遺伝子を切り貼りするファッションデザイナーのような仕事をしているからだ。

スタイルやディテールが複雑であっても、ファッションデザインのメインは裁断と縫製という二つの行為だ。現在、高彩霞は同様の操作を小麦にも行っている。それはうどんこ病にかかった小麦だ。うどん粉病にかかりやすいのが小麦の特徴の一つだ。

植物は種類が多く、性状が異なる。それはゲノム（遺伝情報の全体・総体）により決定されている。小麦がうどん粉病にかかりやすいのは、ゲノムに含まれる文字配列と関係がある。その位置を発見できれば、配列順序を変えて、小麦を病気のリスクから救えるだろう。

ただし、彼女は遺伝子の鎖を修正するツールを探し出さねばならない。

二十一世紀初頭、それまでの常識を覆すバイオ技術が登場した。科学者はＤＮＡ配列の特定の位置で、二重の鎖を切り開き、断片を取り除いたり、挿入したりし、それにより生命を変えることができるようになった。ゲノム編集技術である。

高彩霞

ゲノム編集技術は既存の概念を覆す技術で、必ず次世代の最重要品種改良技術の一つになるだろう。

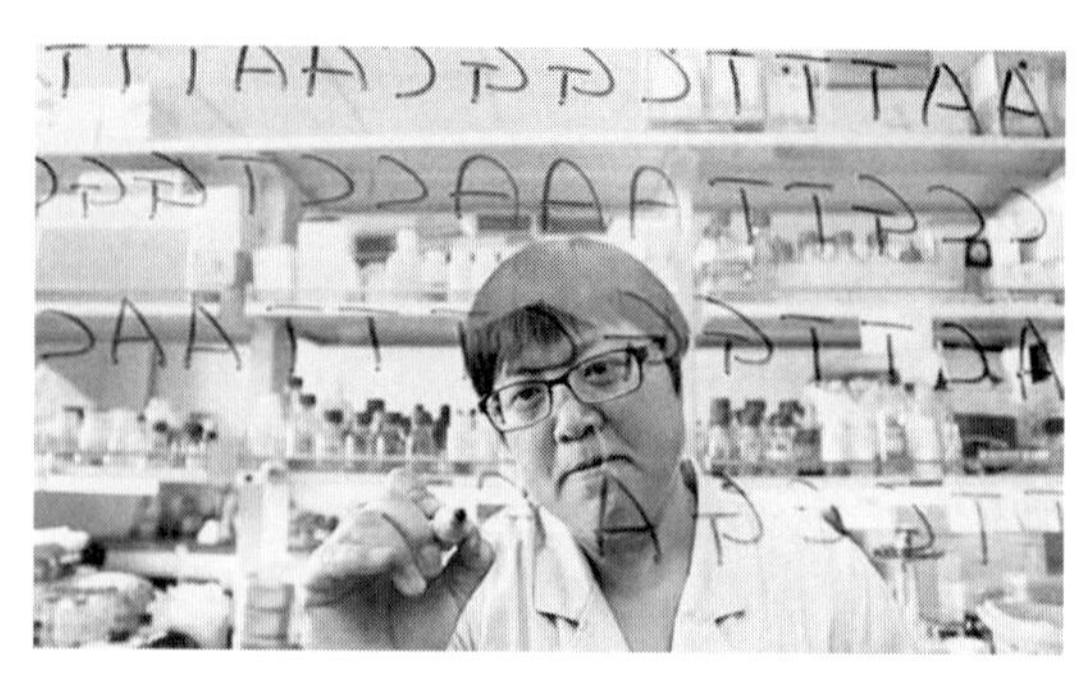

ただし、ゲノム編集技術が理論段階から実用化へとすみやかに移行し、特許を得られるかどうか、世界の実験室では新たな競争が展開されている。

遺伝子技術の時代に新機軸を打ち出すのに必要なのはスピードだ。これは前例のない技術だ。

小麦の遺伝子は三十万個以上あり、うち三個が病気の感染と関連があるが、それに対するゲノム編集を行うのは大海で針を探すようなものである。

頼りになるのは技術と経験、そして幸運に恵まれるかどうかだ。今回の遺伝子操作により、人類は正に万物創造に向かって歩み出す。

高彩霞

正に理論上のものを実践に移すことに他なりません。例えば、私はうどん粉病にかからない小麦を産み出しましたが、うどん粉病に対する抵抗力を実証した瞬間の快感は、まるで夢が実現したかのようなものでした。

二〇一五年、高彩霞のグループはあるゲノム編集技術を最も早く行い、うどん粉病にかからない小麦を開発した。世界的な品種改良の難題解決に向けて、全く新たな道を切り開いたのだ。この実績は世界的な権威ある学術雑誌で、創刊以来最も価値ある論文二十選の一本に選ばれた。

わずか二十年で、中国人は定型にとらわれることなく、コーナーで先行者を抜き去り、新ラウンドのイノベーションブームでリードし始めた。

五、幹細胞を用いた再生医療技術

また別の領域で、中国人科学者が最先端の未来をリードしようと挑戦を続けている。彼らは時間を操る魔法をかけようとしているかのようだ。

これは顕微鏡で百マイクロメートルまで拡大した細胞だ。大人のマウスのしっぽから採取し、受精卵に近い状態に復元されたものである。生命の種のように、その他の組織や器官に成長する能力を備えている。しかもこのプロセスは人体でも同様に起こりうる。

裴端卿（中国科学院広州生物医薬・健康研究院 院長）

心臓が発育不全状態で生まれる赤ちゃんが多数いるが、仮に我々がその細胞を得て、彼らのために良好な心臓を改めて育て、与えることができれば、正常なベビーになる。こうした技術は将来、ＳＦで終わらず実現する可能性がある。

細胞レベルでの若返りの実現、つまり幹細胞技術は、今ではライフサイエンス研究の中で最も盛んな分野となっている。

二〇〇六年、日本人科学者が人の皮膚細胞から多能性幹細胞、いわゆるｉＰＳ細胞を作り出すことに成功した。この先駆的な取り組みにより、各国で幹細胞技術の研究や実用化に火がついた。幹細胞を利用した再生医療、世界的な新ラウンド再生医学革命が起こっている。

裴端卿　これまで医薬品の研究開発分野、また、多くの医療分野で、私達は遅れをとっており、キャッチアップを図るのは並大抵ではなかった。世界の新薬開発大手上位十社には、中国企業は一社もない。そのため、私は将来、最先端の幹細胞を使った再生医療で、中国がリーダーとなるよう望んでいる。後塵を拝するのではなく。

二〇〇〇年初、元々米国で癌研究をしていた裴端卿は中国への帰国を決め、研究グループを率いて、幹細胞分野に研究方向を転換した。

裴端卿は、皮膚からｉＰＳ細胞を取り出すことは、最良の考えだとは必ずしも思っていない。なぜなら、太陽光を浴び続けると、遺伝子が変異する恐れがあり、幹細胞の質に影響を及ぼす可能性があるからだ。では、安定しており大量かつ抽出しやすい幹細胞のソースをどこから探すべきだろうか。

裴端卿の発見は全く思いも寄らないものであった。

裴端卿

尿中に恐らく生細胞があると文献で目にしてから、私達はすぐに尿液中の生細胞をこのような細胞の形に変えることができた。私達がブレークスルーに成功した時はとても興奮した。尿液は極めて入手しやすいソースだからだ。そうでしょう。

一瓶の尿液が新たな世界を開く。

裴端卿の研究グループが尿液から抽出した幹細胞をマウスの体内に移植すると、歯が生えた。それらは直径一ミリメートルに満たないが人の染色体遺伝子を備えていた。この業績に世界が注目した。幹細胞の探求は決して世間一般から乖離した研究ではない。

現在、中国の高齢者数は世界で最も多い。老化はアルツハイマー病などの神経変性疾患であり、臓器の衰弱をもたらす。不治の病は患者に苦痛を与えるだけでなく、多くの家庭に重い負担がかかる。従来医学の治療では解決できない問題に関して、幹細胞研究は新たな希望をもたらすだろう。

裴端卿のグループは更に大胆な挑戦を始めている。尿液から抽出したｉＰＳ細胞を使い、人体外で肝臓組織を作るというものだ。
人体には二百兆個の細胞があり、ｉＰＳ細胞はそのうちのどの細胞にも分化することができる。どのように特定の器官に成長させ、かつ臨床治療に向かわせるか、その複雑さはほぼ月面着陸プロジェクト並みである。

裴端卿
中国は間違いなく世界の最先端にいると思う。この分野では、皆が知っていることは私達も全て把握しており、皆が知らないことは私達も知らない。前に道はなく、それぞれが道を探している。

六、バイオ素材を難病治療に活用

再生医学分野では、科学者は自然な成長のほか、生命を積み木のように組み立てることも可能だと考えている。

一カ月前、阿輝は高所から落下する事故に遭い、脊髄神経に再生の見込みがない傷を負った。数千年前の古代エジプトの典籍には脊髄損傷は不治の病と記載されている。

脊髄神経は人体の中でも最も重要な情報の高速道路である。大脳が出す信号を周りの神経系統に伝え、それで感じたり運動したりする。だが、一度損傷すると、再生するすべがなく、生涯半身不随になってしまう。中国では、二百万人以上の患者が脊椎損傷のため病床にいる。脊髄神経の修復はなお世界的な難題である。

戴建武は病院を歩くのが好きな科学者で、彼の科学研究課題のほとんどは病院の難病に関連するものだ。

脊髄神経の自力回復が無理なら、外からの力で断裂した両端をつなぐことはできないだろうか。

戴建武はある特殊な素材に目をつけた。

科学者の目には、生命体は建築工学のように映る。組織や器官は建築物を構成する部品で、壊れた部品はピンポイントで修復できる。使うのはバイオ素材だ。

骨格でも関節、歯、血管でも、人間が製造した身体修復素材は益々増えており、多くの難病治療は挫折や失敗を繰り返したが、遂に転機が訪れた。

脊髄神経損傷の治療では、バイオ素材は最も潜在力のあるツールのようだ。ただ、数十年来、多くの技術面でのボトルネックにも向き合っている。従来のバイオ素材の材質や構造と脊髄はかなり異なり、神経信号を伝えられなかった。

最も脊髄神経に近いステントを製造するには、新たな素材を探す必要がある。戴建武の実験室にはすぐに新たな目標ができた。

戴建武（中国科学院遺伝・発育生物学研究所 研究員）

皮膚のタンパク質の六十パーセントはコラーゲン、腱のタンパク質の八十パーセントもコラーゲンで、恐らくコラーゲンが最も大事なものだろうと考えた。

これらは春雨に似た素材で、人工合成したコラーゲンである。注射器の管で線状の繊維束を絞り出し、針のヘッドの大きさで繊維束の直径をコントロールする。この繊維束を順番に並べ、一つに束ねると本物そっくりの脊髄になる。断裂した部位をつなぐだけでなく、脊髄の神経を蘇らせることもできる。

事故から十四日目に、阿輝は脊髄神経修復手術を受けた。戴建武の研究グループは医師に協力し、真新しいバイオステント素材を使用した。

阿輝の脊髄神経の断裂箇所には八ミリメートルの空洞ができていた。素材は必ず現場で制作しなければならず、ステントの長さを脊髄の空洞よりわずかに長くする必要がある。

さらに、もう一つの秘密兵器、幹細胞もあった。

戴建武

幹細胞を素材に混ぜ、体内に移植すると体内に留めることができる。

幹細胞を脊髄の空洞に入れた後、コラーゲンのステントを挿入すると、幹細胞はステントの上にとどまり、しばらくすると断裂した神経を再生させる。

阿輝の手術はなお続き、病床の友である海龍は新たな希望を抱いた。海龍はこの病院で最初に脊髄神経の再生手術を受けた患者で、彼は再び立ち上がれるようになった。

智恵と野心が最も必要な分野である。中国では再生医学や組織工学の研究に数十億元がつぎ込まれており、二〇二〇年に中国は世界第二のバイオ素材市場になると予測されている。キーテクノロジーを確立した者が、まもなく訪れる未来を制する。

戴建武

治療法がないから治療法があるへ、ゼロから一へ。

この飽くなき挑戦が、今は無理だと思っていることを可能にする。

私達は生命を理解し始めたばかりだ。たゆまぬ探求とイノベーションがこの分野に驚くべき成果をもたらし続けるだろう。

七、北京生命科学研究所の挑戦

ここは行政等級もなく、国家経費で運営される非営利事業でもない体制外の研究所で、設立から十数年しか経ていないが優秀な科学者達の憧れの的である。北京生命科学研究所である。

王暁東は北京生命科学研究所の所長である。彼の取り組みの一つは優れた専門家を育て上げ、イノベーションを起こすことである。

王暁東は北京生命科学研究所と共に十二年の歳月を歩んできた。ここでは科学者は長期的に資金支援を受けることができ、重要だと思う研究課題を自由に選ぶことができる。

王暁東（北京生命科学研究所 所長）

科学技術のイノベーションという課題にどう取り組むべきか誰も分からないのなら、あなたならどうするだろう。最良の科学者を選び、彼らに自由に、思う通りのやり方で取り組ませることだ。中国ではこれまで前例がなかった。

王暁東は米国で学び、教壇に立ち、二十五年を過ごした。四十一歳の時に米国国立科学アカデミーのアカデミー会員に選ばれた。当時、中国国内から米国に渡った留学生は二十万人を超え、王暁東は米国科学界の最高殿堂入りした初の中国人となった。

世界トップレベルのライフサイエンス研究所を設立し、英知・視野・信念を祖国に持ち帰り、王暁東を含む多くの海外で活躍する科学者が中年になった時の受け皿とした。

しかし、自由という名の下には過酷な審査制度がある。五年ごとに、科学者の研究業績は世界の同業者が匿名で評価し、審査に合格した科学者は昇進するが、不合格となった場合は研究所を去らねばならない。

評価のコアスタンダードは、彼らの取り組みがその分野の研究を促進、牽引したかという点だ。

王暁東

あなたの取り組みが他の研究者に影響を与えたのなら、あなたはこの分野における独創的な指導者に他ならないということだ。

中国は世界のサイエンステクノロジーセンターの一つになった。

中国人はどんな未来を形作ろうとしているのか、恐らくあなたの想像をはるかに超えるものになるであろう。ただ一つ確かなことは、生命は神秘的な伝説、ぼんやりと推測される領域から、手で触れ、分析することができるものに変わったということだ。全ては始まったばかりだが、全く新しい世界が垣間見えている。

1　中国の核技術および宇宙技術の同時開発プロジェクト。両弾とは原子爆弾（後に水素爆弾）と大陸間弾道ミサイル（ＩＣＢＭ）、一星は人工衛星を意味する。一九九九年、これらのプロジェクトに関与した科学者に「両弾一星功労勲賞」が授与された。

第五章 宇宙・海洋分野の飽くなき探求

無数の星から成る広大な宇宙は神秘的で計り知れない。

深海の奥深くに達した人類はほとんどいない。「天宮」の建造から「蛟龍」に至るまで、中国人は宇宙を夢見、深海探査に懸命に取り組んできた。一万千メートルの深海にどう到達するか。中国人の月面着陸や火星探査にどんな宇宙ステーションが役立つだろうか。宇宙や海洋の探査においては、イノベーションが夢を後押しし、技術の進歩を実現しただけではなく、誇りや信念をもたらした。探求者はひるむことなく、もっと遠くへ、もっと高くへと、大海や宇宙に向かう。

宇宙や海洋の探査・開発は大国間の競争の戦略的高地である。それは国力の証に他ならず、未来のチャンスをも意味するからだ。

一、最先端ロケットエンジンの開発

良く晴れた夜には、河北省興隆県の山間部にある望遠鏡のドームが開き、宇宙からの光や情報を受信する。

これは中国古代の天文学者、郭守敬の名にちなんで「郭守敬望遠鏡」と呼ばれる世界最大口径の光学望遠鏡で、毎回の観測で四千個の星のスペクトルをキャッチできる。

星空には限りない神秘がある。私達はどこから来て、どこに向かうのか。何万光年も遙か彼方には、別の生命体が息づいているかもしれない。この古典的な問いと興味が未知の宇宙への憧れを募らせ、行って触れてみたいという衝動に駆り立てられる。

ロケットはその巨大な推進力で地球の引力を振り切り、遠くへ飛ぶ手助けをしている。だが、どこまで飛べるかはロケットの心臓部であるエンジンにかかっている。

西安、この古都で中国は最先端のロケットエンジンを生産している。

推力百二十トン級のエンジンは、高性能かつクリーンな液体酸素とケロシンを燃料として、八十トンの重さのものを七十秒以内にチョモランマの頂上に送ることができる。現在、世界ではロシアと中国だけがキーテクノロジーを確立している。

陳建華（中国航天科技集団六院 液体酸素・ケロシンエンジン副総設計士）
国内では全く新しく、世界でも最先端の循環プランである。エンジン全体のシステム効率を十五パーセント以上引き上げる必要があり、同一燃料で推力が増強する。

このタイプのエンジンの推力と効率を引き上げるため、陳建華のグループは多くの課題を解決しなければならなかった。
コアパーツであるターボポンプの安定稼働は難関中の難関だった。なぜなら、ターボポンプは稼働時に極めて大きな圧力を受けるからだ。

陳建華
高圧の環境下で、例えば、亀裂が生じたり、漏出したりなどの不具合が生じた場合、いずれも大惨事を引き起こす。

この圧力は、黄浦江の水を海抜五千メートルの青蔵高原まで汲み上げられるほどのものだ。このため、ターボポンプの遠心ファンの回転速度を毎分約二万回に引き上げる必要があり、巨大な遠心力が生じる。わずかでも技術的瑕疵があれば遠心ファンの損傷につながり、ひいては爆発を引き起こす可能性もある。

この先端ロケットエンジンの開発に十七年を費やし、今、彼らはより高い目標に挑もうとしている。エンジンの新たなテストを数日後に控えて、スタッフは神経を尖らせている。それは画期的な試みで、その成果は未来の新型ロケットエンジンに応用される。このエンジンの設計推力は従来の百二十トンから五百トンに一気に引き上げられる。研究開発に成功すれば、中国の宇宙輸送能力は五倍向上し、中国の宇宙探査が質的な飛躍を遂げる。

李斌（中国航天科技集団六院 副院長）

推力増強にとどまらず、この研究開発の難しさは技術的リスクも大幅に高まることにある。なぜなら、ロケットエンジン自体がエネルギー密度の極めて高い動力装置であり、あらゆる動力装置の中でエネルギー密度が最大であるからだ。

推力五百トンのロケットエンジンの設計責任者として、李斌は今回のテストを楽しみにしている。彼らはキーテクノロジーの実現可能性を実証しなければならない。

ロケットは発射プロセスで、エンジンボディ全体が常に自励振動（フラッタ）する。自動車のステアリングホイールのように、自励振動により噴射角度を調整し、ロケットの方向をコントロールする。

ただし、エンジンの推力増加に伴い、体積や重量が増し、自励振動も大幅に増す。この課題に対するあるソリューションがある。エンジン全体が自励振動する方式を改良し、一部分のみ自励振動させる。大型ロケットエンジンの技術課題を一つ一つ攻略し、たゆまず技術進化を続けることにより、中国人はさらに遙かな宇宙空間を目指すことができるだろう。

二、「嫦娥五号」月面表土採取プロジェクト

月は私達にとって馴染み深いが実はよく分かっていない星であり、多くの謎に包まれている。

二〇〇四年から現在まで、中国の月探査プロジェクトは月の周辺探査や月面着陸に成功した。中国の月探査の次の目標は月面でのサンプル採取だ。月面表土を取得した後、一連の複雑な技術プロセスを経て、サンプルを地球に持ち帰る。中国航天にとっては、一歩一歩が挑戦であり、イノベーションでもある。

北京の中国空間技術研究院で、月探査プロジェクトの探査機「嫦娥五号」の開発が進められている。

頼小明グループが担当するのは月面表土の採取テストだ。

頼小明（中国航天科技集団五院「嫦娥五号」サンプル採取システム部門チーフエンジニア）

月面でサンプル採取してそれを持ち帰る必要がある。サンプルを掘り取るプロセスは探査プロセスである。

採取を成功させるため、頼小明のグループは六年にわたりテストを行ってきた。

地球から三十八万キロメートル離れた月は、昼夜の温度差が非常に大きい。太陽が直射するエリアは百二十七度に達する。一方、夜には零下百八十三度まで下がる。どんな機器でもこれほどの温度差、高真空状態という厳しい環境下で稼働するのは大きな試練となる。

頼小明

真空環境では散熱条件が厳しくなる。私達は探査機の加熱膨張・冷却収縮、運動による摩耗を考慮した上で、宇宙スペースでの適応性に関する課題を克服する必要がある。しかし、最大の難題は過酷な宇宙環境ばかりではない。

頼小明

月面は大きすぎ、困難は計り知れない。サンプル採取のプロセスでどれ程大きな岩石に出会うか分からない。最も難しいのは、着陸してすぐに巨大な岩石に遭遇することで、その状況でサンプル採取ができるかということだ。起こりうる状況について、地上で検証を重ねる必要がある。

月面表土には、大小様々、多種多様な岩石の破片が分布しており、採取器の作業は不確実性に満ちている。採取器が複雑な作業状況に対応できるよう、頼小明のグループは数十種類の地質サンプルを選び、月面表土を模して、このプロセスのテストを三百回以上実施した。

様々な岩石サンプルを五メートルを超す金属缶の中に入れてテストを繰り返し、採取プロセスで起こりうる障害についてチェックし検討を重ねた。

テストは今も続いており、頼小明のグループは精度を最大限にしようとしている。

月面表土の採取は今回の月面探査の一プロセスにすぎない。月面表土に携帯する上昇器に点火し上昇する際、もう一つ重要な局面にさしかかる。燃料不足で上昇器が地球に戻れない場合は、必ず軌道器とドッキングさせ、月面表土を帰還器に移して地球に持ち帰らねばならない。遙か彼方の月の軌道上で、わずか三時間半でランデブーとドッキングを完了する。わずかなミスでもそれまでの努力が水泡に帰す。

鄭永潔（中国航天科技集団五院 ＧＮＣ分システム副主任デザイナー）

これは私達が月の軌道上で行う初のランデブーとドッキングです。全く新たなミッションです。

新たな目標は新たな挑戦をもたらす。鄭永潔のグループはランデブーとドッキングのテストを始めようとしている。

遙か彼方の月の軌道でランデブーとドッキングを完了するには、克服すべき多くの課題がある。

月の軌道でランデブーとドッキングを行う際、測位ナビゲーション衛星や地上軌道決定システムの支援が限定的になる。これはランデブーやドッキングのプロセスでは、「嫦娥五号」が自分で任務を遂行しなければならないことを意味する。

鄭永潔のグループのミッションは、「嫦娥五号」に脳と目を与えることだ。

鄭永潔

ランデブーとドッキングを月の軌道で行う際、地表から離れているため、地表からの介入には限界があり、ランデブーとドッキングの制御システムを設計する上で大きな課題となる。このため、私達の宇宙でのシステムは完全自立運転になっている。

鋭い両目があれば精度の高い情報を提供することができる。「嫦娥五号」のスマートブレインは自主制御が可能だ。両目は測量センサーで、ドッキングを確実に成功させる強力な力を備えている。

今日のテストで彼らのソリューションが実現可能であることが検証された。

現時点で、この荒涼とした神秘的な場所に足を踏み入れたのは世界で十二人である。

そして、もう一つ神秘的な場所がある。そこに到達した人類は十二人にも満たない。

三、「蛟龍号」の深海探査

海洋は生命の起源である。海洋がなければ、私達が生きる世界は存在しなかっただろう。だが、私達の海洋に対する理解は微々たるものだ。特に、水深六千メートルを超す暗い深海については そうである。

崔維成は「蛟龍」号の副総設計師である。

葉聡は「蛟龍」号の正操縦士である。

二〇一二年、彼らは祖国を離れ、これまでにない挑戦を始めようとしていた。有人潜水艦「蛟龍」号に乗り込み、海洋で最も深い、水深一万千メートルのマリアナ海溝に向かった。

深海探査は勇気ある者が取り組む仕事だ。深海に潜るということは、漆黒の闇に向かうということだ。

大海の奥底では、夜間運転と同様、前方数十メートルしか見えない。

潜水プロセスはエレベーターに乗るようなもので、漆黒の海底、狭い空間では、わずかに警報が鳴っても極度の緊張が走るものだ。

二千メートルを超す深海では、巨大生物はほとんど見られず、グロテスクな形をした小さな生物がいるだけだ。

二〇一二年六月、六度の潜水と浮上を経て、「蛟龍」号は無事に水深七千メートルレベルの有人深海探査に成功し、多くの海底サンプルを持ち帰った。北太平洋の荒波に揉まれ、「蛟龍」号は母船に帰還し、有人による最高潜水記録を樹立した。

しかし、これが中国の深海探査のゴールではない。七千メートルに成功した後、崔維成と葉聡はそれぞれ全く新たな探査に取り組んでいる。

四、中国自主開発の宇宙ステーション

現在、中国の宇宙飛行士は、世界の科学者のために新たな宇宙の家を全力で建造している。

中国空間技術研究院天津航天城。

ここは世界最大規模の宇宙機の最終組立・艤装・テストセンターである。高さ六十メートルに達する巨大な建屋は壮大な宇宙ステーション計画に相応しい。

現在、宇宙ステーションの各項目の検査が行われている。

楊宏（中国航天科技集団五院 宇宙ステーションシステム総設計師）

宇宙ステーションは、私達が目下開発中の型式のうち、システムが最も複雑で、技術的に最も難しい宇宙機である。

一九九二年、楊宏は宇宙分野の仕事に就いた。その年、中国独自の有人宇宙プロジェクトが正式に発表された。

ただし、当時、私達はまだ宇宙飛行士を宇宙に送る能力すら備えていなかった。

楊宏

第一歩は有人宇宙船でした。当時、私達の目標は非常に明確で、宇宙飛行士を安全に宇

宙に送り出し、安全に帰還させることでした。

有人宇宙飛行は、当時の宇宙強国にとっては、とうに克服できない技術課題ではなくなっていた。現在、宇宙で運営されている国際宇宙ステーションは一九九三年に導入され、十六カ国が共同開発したものだ。ただし、この国際宇宙ステーションは中国の加入を認めず、楊宏と彼の同僚は原理から学び始め、徐々に目標に近づくしかなかった。

楊宏

有人宇宙飛行、国際的な一部のプロジェクトは私達を受け入れていない。私達に残された方法はただ一つ、独立自主の精神で、自力で取り組むことだ。道はただ一つしかなく、イノベーションで切り拓くしかない。

宇宙ステーション計画の提案から、初の宇宙飛行士、楊利偉を宇宙に送り出すまで、中国人は十一年の歳月を費やした。

その後はスピードアップしている。

二〇〇八年、宇宙飛行士、翟志剛が中国人による船外活動の第一歩を踏み出した。

二〇一七年、中国初の宇宙貨物船「天舟一号」の飛行が成功した。

ここに至り、中国人の有人宇宙飛行プロジェクトは一連のキーテクノロジーを確立し、宇宙ステーション時代を迎える基盤が整った。

楊宏
宇宙船「神舟」は狭い空間だったが、「天宮」は「一ベッドルーム・一リビングルーム」に、宇宙ステーションは「三ベッドルーム・一リビングルーム」や「五ベッドルーム・一リビングルーム」になった。船内スペースも元の「天宮」宇宙実験室よりもかなり広くなった。
中国人が設計する宇宙ステーションは中核モジュールと実験モジュールから成る。宇宙でこれらのモジュールをドッキングさせ、無重力や宇宙放射線、様々な不測の事態に備える。
地球とは全く異なる太陽光もプロジェクトの妨げになる。

盧純清のグループは現在、アンチグレア干渉テストを行っている。宇宙での太陽光の強さは地上の五〜十倍で、強烈な光線は宇宙ステーションのモジュールがドッキングする際に避けられない妨害である。

盧純清（中国航天科技集団五院 ランデブー・ドッキング光イメージングセンサ・チーフデザイナー）

宇宙では、ドッキングを必要とする宇宙ステーションのモジュールに対して太陽があらゆる方向から直射する。私達がこのテストを行う目的は、太陽が直射する状況下で、ドッキングにどのような影響が及ぶのか分析することだ。

スタッフは実験場で毎日の日の出、日の入りを見守る。彼らは太陽の高度に応じて絶えず角度を調整し、宇宙で起こりうる様々な照射条件を作り出す。

盧純清のグループのテストは今後も続く。ゼロからスタートした中国の宇宙飛行士。一つ一つの小さな実績の陰には相当な努力が重ねられているのだ。

二日後、宇宙ステーションの中核モジュールがドッキングに成功した。張偉はこれ以前に様々な実証を重ね、宇宙ステーションがどのような状況下でもメンテナンスが可能で有ることを確認した。

宇宙機は軌道上の時間が長引けば長引くほど老朽化が進む。

現在稼働中の国際宇宙ステーションは、過去何度も故障し、そのたびにメンテナンスを行った。メンテナンスで最も難しいのは船外活動で、合理的かつシンプルな設計でなければ、宇宙飛行士が限られた時間でミッションを遂行できない。

宇宙飛行士が置かれた状況をリアルに再現するために、スタッフは宇宙服や手袋を身につけてテストを行わねばならない。

張偉（中国航天科技集団五院 宇宙ステーションシステム総合チーフデザイナー）

類似の状況は、単独で宇宙船を操縦している時にメンテナンスが必要になった場合である。この場合、宇宙船を停止することはできない。宇宙ステーションは内部の様々な生命維持システムが稼働しないと大変なことになり、地上との各種通信にも問題が生じる。そのため、優れた設計が必要で、それでこそメンテナンスも行き届く。

一つ一つの詳細設計は繰り返し検証する必要があり、最小の代価で最良策を得られる。宇宙ステーションのコアモジュールのドッキングはすでに始まっており、宇宙ステーションの完成が少しずつ近づいている。

現在稼働中の国際宇宙ステーションは二〇二四年に役目を終える予定だ。その時、中国は世界で唯一の宇宙ステーション保有国になっているだろう。

五、宇宙移住を想定したシミュレーション施設

しかし、夢はこれに留まらない。

将来、宇宙空間に拠点を建設すること、例えば火星への移住などが想定されている。

このシミュレーション施設、模擬火星基地は宇宙の家の出発点であり、深圳宇宙科技南方研究院が開発を担当している。

李瑩輝（緑航星際プロジェクト 総責任者）
このテストは、将来、人が地球以外の場所で長期滞在することができるように行うもので、生命の安全に関わる技術である。

奇妙な実験である。植物実験モジュールでは、植物の光合成に必要な異なる発光効果の光をあてる制御システムが整えられている。植物はここでCO_2を吸収し、酸素を放出し、水分を蒸発させる。
これは地球の生態系のミニチュアである。実現すれば、人類は生存に適さない宇宙空間で自給自足の生活を送ることができるようになるだろう。
二〇一六年六月、ボランティアが宇宙船の模擬キャビンで百八十日間の隔離生活を行う実験に参加した。外界から遮断された空間で、キャビンの循環システムだけを使って生活した。

李瑩輝
彼らがキャビンに入室した後、呼吸に必要な空気は自己循環により作られ、新鮮な野菜や果物は全てキャビン内で供給された。全ての水はキャビン内で循環したものだ。

同時に、地上四百キロメートル近くにある「天宮二号」の宇宙実験室内で、宇宙飛行士の景海鵬と陳冬也は面白い実験をしていた。

十月二十四日は景海鵬の五十歳の誕生日だった。地上のボランティアは動画で祝福した。

景海鵬（宇宙飛行士）
動画を受け取りました。皆さんお元気そうですね。私と陳冬也もとても喜んでいます。ちょっと秘密をお教えしましょう。私達は今回宇宙で植物を栽培しています。少しお見せしましょう。まだ小さな芽が出たばかりですが、間違いなく中国人の大きな第一歩です。中国人が宇宙で野菜を育てるのはこれが初めてです。

百八十日間の実験を経て、四名のボランティアが無事にキャビンを出た。
人類の宇宙開拓に向けて技術的蓄積となった。

六、水中グライダー「海燕」による海洋実験

南海（日本では南シナ海としている、以下同じ）で、また一つ新たな探査が行われている。

海洋国家実験室、科学者達から成る大型科学観測チームが、大規模海洋観測を開始しようとしている。

中国が自主開発した三十台以上の海洋観測ブイが大気中・海上・水深四千二百メートル地点にそれぞれ設置され、全方位型立体海洋観測網が構築された。

水中グライダー「海燕」は今回の観測で最も重要な役割を果

たす。海燕が収集したデータや情報は、無線信号発射装置により二千キロメートル離れた青島にリアルタイムで伝えられる。

「海燕」を開発したのは天津大学の王延輝教授の研究グループだ。

王延輝（海洋国家実験室研究員）

水中グライダー「海燕」は潜水艦と同様、浮上も降下も可能だ。浮上や降下の過程で、固定された水平翼の流体力学を利用して水中を滑走する。

「海燕」は水深千五百メートルを自由に進む。千キロメートル以上の航続距離、機敏でコンパクトな容姿により、「海燕」は長時間大海を漫遊することができる。鯨と戯れることもある。同時に音響学や光学など多くの機器を搭載することも可能で、海洋を広く探査できる便利なツールだ。

王延輝

実は、この技術はずっと外国の規制を受けており、売却・輸送が厳しく規制され、技術封鎖が行われてきた。ただひたすら外国の後を追っていたとしたら、海洋研究の上でも、海洋経済の上でも、彼らを追い越すことはできなかっただろう。だから、私達はコーナーで抜き去り、自らイノベーションを起こす必要がある。

王延輝のグループが研究開発に十年を費やした「海燕」プロジェクトは、海洋国家実験室にそっくり引き継がれた。

これは中国最高レベルの海洋科学研究機関だ。二千名を超す国内外の海洋科学者と十隻余りの科学観測船がここに集結し、海洋分野の最前線の科学研究を行っている。

海洋をより「透明」にするために、人々は航続距離が世界最長、設備投入数が最多で、カバー海域が最も広範な海洋立体ネットワーク観測を実施した。

二〇一七年八月二十日、南海で観測を終えたばかりの「海燕」が帰航しようとしていた。

当時、台風の中心は五十海里以北にあり、五台の「海燕」が観測を行っていた。台風が到達する前に安全に撤収するか、それとも暴風の中心に入りより精度の高いデータを取得するか。王延輝は判断に迷った。

台風の正確な予報は世界的な難題で、観測データが少なすぎることが原因だった。ただ、台風の中心に入って情報を得ようとすると、「海燕」を破損し、失う危険性もある。

王延輝

現在、台風の観測は水中グライダーを使って現場で観測している。今のところ世界でこの測量に取り組んでいる人はいない。海洋科学者は現場のデータを喉から手が出るほど欲しがっており、観測に出るよう私の背中を押す。試してみないと出来るか出来ないか分からないだろうと言って。

午後五時、南海、東経百十七・九度、北緯二十・五度の地点で、「海燕一号」は予定海域に潜伏し、他の四隻の「海燕」も予測される台風の中心に集結し、「天鴿」を捕らえるネットワークが張り巡らされた。

この時、台風は時速二十五キロメートルの速度で正面から突き進んできた。

王延輝

グライダーは五十～百キロメートルの間隔をあけて五台配置した。当日の夜、例えば八時に台風が一台目のグライダーを通過したら、二台目のグライダーは五十キロメートル離れたところで台風が来るのを待ち、台風が二台目のグライダーを通過すると、今度は三台目のグライダーが位置について台風の到達を待った。二台は、今もはっきりと覚えているが、通信が可能になるまで三時間かかるはずだとひたすら待ったが、結局、何の情報も得られなかった。

正常であれば午前一時に最初の分析結果を得られるはずだったが、何も得られなかった。私はまるで我が子を失ったかのような、言葉では言い表せない感覚に襲われた。

とても苦しい夜だった。「海燕」から伝えられる情報は途切れ途切れだった。台風が南海を去り、王延輝は吉報を待った。

「海燕」は台風と二十時間以上格闘した末、無事にデータを携えて帰航した。

王延輝

心底ほっとした。水中グライダー「海燕」には試練となったが、台風という劣悪な海洋状況の中でも持ちこたえ、我が国初の試みを成功させた。

更に多くの情報やデータが海洋国家実験室に絶え間なく集められ、めまぐるしく変化し予測困難な海洋の未来はもう秘密のベールで覆われたものではなくなった。

「海燕」はまた出発する。今回の目的地は更に遠く更に深い大洋だ。「海燕」は海洋国家実験室の他の観測チームと共に海洋国土（中国の内水及び領海と管轄海域の総称）の姿を描き出す。

七、中国版「スペースX」を目指す

大気圏を飛び出すと、めまぐるしい世界が目の前に広がる。地球の周りを無数の人工衛星が頻繁に行き交う。形状は様々だが、そのほとんどが重量数千キログラムある。そんな中、小さな衛星にばったり出会うかもしれない。

ここは小型衛星を専門に設計・製造する企業だ。王洋はチーフサイエンティストだ。彼らが開発中の衛星は重量わずか百キログラムである。

彼は小型衛星を使って「翔雲」という名の星座を作ろうとしている。必要数の衛星を打ち上げれば、世界をカバーする宇宙インターネットを実現することができる。

王洋（翔雲星座 チーフサイエンティスト）

Ｗｉ－Ｆｉをイメージしてみてください。空中に漂う公衆無線ＬＡＮであるＷｉ－Ｆｉ。この衛星ネットワークが構築されれば、地球上の九十九・九九パーセントにネットワーク信号を送ることができる。

開発費が安く、高速なのが強みで、小型衛星の商業化が期待できる。

ただし、小型衛星は寿命が短いため、短期間に集中して打ち上げる必要がある。そこで、ロケットの迅速な発射能力が求められる。

航天科工ロケット技術有限公司は、武漢で開かれた国際商業宇宙フォーラムで、二十カ国から集まった専門家に新型シリーズのロケットである快舟を紹介した。二〇一七年一月、快舟は三衛星を搭載したロケットを武器に商業ベースの国際宇宙市場に参入した。

商業ベースのロケット発射分野で近年最も注目されている企業は米国の「スペースX」(SpaceX)だ。価格やスピードに優れ、世界中で発射契約を取り付けている。二〇一七年時点で発射回数世界一だ。

張鏑(航天科工ロケット技術有限公司 董事長)

少し前のことですが、スペースXは四十八時間以内に二回連続して打ち上げを行い、迅速な発射能力があることを実証しました。私達はこの記録を破り、七日間で連続四回のロケット打ち上げを成功させるつもりです。

現在の快舟ロケットは、数カ月かかる打ち上げ準備期間を数日に短縮することが可能で、打ち上げにかかる費用は最低で一キログラムあたり一万ドルだ。これは国際市場では非常に安い価格である。このため王洋の研究グループは快舟ロケットを選んだ。

彼らは二〇一八年末に快舟ロケットを使い、「九衛星搭載」方式で小型衛星を打ち上げ、軌道に乗せる予定だ。

王洋グループの衛星を搭載する快舟ロケットはすでに組み立てが終わり、最後の機能テストに入った。テスト完了後、九つの小型衛星の到着を静かに待つ。

中国の商業宇宙飛行は新たな時代を迎えた。競争により常に新たな製品が生まれ、技術が向上し、市場がイノベーションの活力をかき立てる。中国は多くの先端分野でダッシュをかけている。

八、世界最大の海洋掘削リグ「藍鯨一号」

現在建造しているのは世界最大の海洋掘削リグだ。

千八百トン強の上部船体が大型クレーンでつり上げられ、下部船体と連結する。

「藍鯨一号」である。船底からやぐらの先端までは三十七階建てビルの高さになり、デッキ面積はサッカー場ほどで、ボーリングの最大深度は最も深いマリアナ海溝よりも更に深い。

雄大で頑丈な「藍鯨一号」は暴風や荒波にも十分耐えるが、内部は時計のように精密だ。数万台の設備が連携して稼働し、パイプラインに接続し、上海から北京まで延びている。各ラインが正常に稼働するかどうかが海底採掘の成否にかかっている。

イノベーションは変革だけでなく、職人魂も発揮させる。「藍鯨一号」は人類の海洋エンジニアリング分野で最高レベルに達している。どんな深海での作業でも石油・天然ガス

資源を採掘することができる。

二〇一七年五月、「藍鯨一号」は南海で、固体天然ガスであるメタンハイドレートの試掘を開始した。

「藍鯨一号」は六十日間連続での採掘に成功し、生産総量の世界記録を樹立した。

夢の旅路が始まる時には、胸高鳴る成功の瞬間を期待するものだが、それには数限りない細かな取り組みや長い歳月が不可欠で、失敗やリスクも無縁ではない。

物事がハイスピードで進む時代において、中国は今だかつてないチャンスを迎えており、人々は十分自信を持って、目の前に広がる予測困難な課題を克服しようとしている。

開拓者の未来、イノベーターの世紀の幕開けである。

第六章 国民総イノベーションの時代

科学者から創業者、基礎科学からプラント建設、政府から企業まで、国民総イノベーションの時代である。万里の長城の足下にある世界最深の地下鉄駅で、倒産の危機に瀕した製造工場で、それぞれのストーリーが展開している。世界で最もスマートな企業が開発するスマート機器とは、中国初の経済特区が期す更なる飛躍とは……。

情熱と活力が国中に満ちあふれる。中国のイノベーターの心意気や奮闘する姿に至る所で出会う。未来を変える大きな変化が今、中国で起きている。

二〇一七年九月十五日深夜、中国「天眼」の父、天文学者の南仁東が七十二歳でこの世を去った。

その二十五日後、貴州省平塘県の山間部にある「天眼」が二つのパルサーを発見したと発表された。

南仁東と共に二十三年間奮闘してきた電波望遠鏡は、最高の形で科学者の気高い心意気に敬意を表した。

偉大な発見には不遇や忍耐がつきものだ。偉大な進歩の陰にはイノベーションや経験の積み重ねが常にある。

いにしえより、イノベーションは私達民族が天から授かった最高の才能である。

一、世界最大最深の高速鉄道駅「八達嶺長城駅」

八達嶺長城は悠久の歴史を誇る中国を象徴する建築物だ。毎日、世界各地から訪れる数万の観光客がこの古代中国の壮大な建築物に登り、中華帝国のいにしえの力や志に想いを馳せる。その観光客の足下では、硬い花崗岩層を貫く偉大な建設工事が進められている。

地下百二メートル地点で、建設作業員が十二キロメートルのトンネルを掘り、目下世界最大、最深の高速鉄道の地下駅、八達嶺長城駅をこのトンネル内に建設している。巨大な建築物は三層構造になっており、面積は空母「遼寧号」のデッキの二倍近い。初めて導入される大型特殊エレベーターは、わずか数分で観光客を八達嶺長城の入り口まで送り届ける。

倪派は毎日五回トンネルを見回る。一回につき少なくとも一時間半はかかるため、一日で二十キロメートル以上歩くことになる。

倪派（中鉄五局・京張プロジェクト副チーフエンジニア）

ここには八本の分岐ルート、八十八個の洞窟、七十七個の断面がある。洞窟が非常に多く、工事がとても難しい。前方に見えるのは最大スパンの箇所で、広さは三十二・七メートル。現時点では国内高速鉄道のトンネルの中で、工事回数が最も多く、最も難度が高い。

あら探しは倪派の仕事の一つだ。わずかな手ぬかりを見つけては一つずつ丁寧につぶし、工事に万全を期している。

工事現場は洞窟が入り組み、迷宮のようだ。

地質が複雑で地形が起伏しているため、トンネル工事の最難関箇所に続く傾斜シャフトの断面が小さすぎ、大径口のシールド掘削機が入らず、発破をかけるしかなかった。

八達嶺トンネルとその上にある長城との距離は、最大でも百メートルしか離れておらず、長城に爆破による影響が及ばないようにしなければならなかった。

工事全体で発破をかけた箇所は二千カ所以上。多いときは一日で百二十回余り発破をかけた。技術スタッフは最新のデジタル電子雷管微損傷高精度爆破技術を初めて使い、爆破振動速度を制御した。

この技術は、爆破振動速度を毎秒二ミリメートル以内に抑え、爆破で生じる振動は長城で足踏みする程度だ。

京張高速鉄道は二〇二二年北京冬季五輪の二つの開催地、北京と河北省張家口を結ぶ。百七十四キロメートルのルートには、高く険しい山間部や寒冷強風地域がある。全線で時速三百五十キロメートルの速度を保たなければならず、経験豊富な中国高速鉄道であってもかなりの挑戦になる。ただし、彼らは一歩一歩目標に近づいている。

京張高速鉄道のこの区間では、地下を通過するよう意図して設計されている。なぜなら、この区間には中国人にとって思い入れ深い小さな駅があり、永久保存する必要があるからだ。

倪派

青龍橋駅の両側は長城です。駅は一九〇八年に建てられ、百年以上の歴史があり、今も健在で保存状態も良好です。私達の京張高速鉄道はこの駅の直下四メートル地点を通過します。

青龍橋駅の傍らには、京張鉄道の総設計師である詹天祐の銅像が建っている。この「中国鉄道の父」の努力と指揮により、京張鉄道は中国人が自主開発した初の幹線鉄道となった。今もなお、世界の建設史上に名を残す奇跡である。

青龍橋駅近くの「人の字形」線路と呼ばれるスイッチバックは、詹天祐の設計の中でも傑作である。二つの機関車を前と後ろに配置するプッシュプル方式を使い、機関車を付け替えることなく、前後双方向に同じ速度で走行できる。この方法により、南口と八達嶺の高度差に対処した。

この難工事も現在の中国高速鉄道建設者に言わせればすでに過去のものだ。新技術により一つまた一つと新時代に奇跡を起こし、人々の想像を超えていく。

北京冬季五輪の開幕日が迫り、京張高速鉄道の工事は日に夜を継いで着々と進んでいる。なお、二千キロメートル離れた東海（日本では東シナ海としている）では、これとは別の画期的な建設工事が佳境に入っている。

二、自主開発の第三世代原子炉「華龍一号」

二〇一七年五月二十五日、福建省の福清原子力発電所五号機前で千人あまりが最良の時を待っていた。

中国が自主開発した第三世代原子炉技術「華龍一号」の世界初の実証プラントで、間もなくドーム屋根のクレーン設置が行われる。

福清原子力発電所は中国大陸で九番目の原子力発電所で、五年後には百万キロワット級の原子力発電モジュール六基が全て完成し、毎年約五百億キロワット時の電力を供給し、福建省の年間電力消費量の二十五パーセントを担う見込みだ。

千グラムのウラン238の核分裂により、二万メガワット時のエネルギーを放出する。これは少なくとも二千トンの石炭を燃焼して得られるエネルギーと同量である。

この驚くべき放出量に対して、人々が最も心配するのは、如何に安全を確保できるのかということである。旧ソ連と日本で二度の原発事故が起き、その度、世界の原発建設は冬の時代を迎えた。中国人は放射能漏れの脅威に如何に対処するのだろうか。

原発の世界市場では、安全性や効率の高さが評価され、第三世代の原発が主流になっている。ただし、この技術を確立しているのは極めて少数の国だ。

二〇一五年、中国が自主開発した「華龍一号」の最初の原発建設が始まった。一年目だけで三万トンの鉄筋、十三万立方メートルのコンクリートを使った。「華龍一号」の格納容器は内外二層の二重構造で、厚さはそれぞれ一・三メートルと一・八メートルあり、大型航空機の衝突にも耐える十分な防護能力を備えている。

「華龍一号」で最も注目される技術は、間もなくクレーン設置されるドーム屋根の下にある。

陳国才（福建福清核電有限公司 総経理）

ドーム屋根のクレーン設置は、原発建設工事が土木建設段階から設置段階へ移るターニングポイントだ。

クレーンによる引き上げ作業は、風速毎秒九・八メートル以下の状態で行わねばならない。直径四十六・八メートル、総重量三百四十トンの巨大なドーム屋根を二十階建てビルの高さまで引き上げる必要があるからだ。

ドーム屋根の下、「華龍一号」の内部には八万立方メートルのフリー格納スペースがある。万が一事故が発生した場合、放射能漏れをこの障壁で最大限封じ込める。

続く設置段階では、原子炉は予め設定されたルートで「華龍一号」の心臓部に送られる。

第三世代原子炉技術の強力な武器に受動的安全（パッシブセーフティ）システムがある。「華龍一号」が外部電源を全喪失した場合、容量三千トンの冷却水タンク三個を自然の力だけで、セーフティーリミットとされる七十二時間稼働させることができる。このシステムにより、「華龍一号」は原発市場で最も需要のある第三世代原子炉の一つになった。

陳国才

五号機の建設完了と発電開始により、中国が自主開発した第三世代原子炉技術は世界の同機種との技術競争段階に入った。

中国新能源、中国橋梁、中国航天、中国電商、中国交通、中国超算は世界の中国に対する旧態依然とした認識を改めている。

イノベーションが新たな視野を開き、科学技術が未来の勢力図を決める。

基礎科学分野において、中国は世界最先端の仲間入りをし始めた。

三、世界一を目指す中国のニュートリノ実験装置

王貽芳は毎月、北京から広州の工事現場まで飛び、現地で会議を開く。先日、工事中の縦坑で深刻な水漏れが発生し、緊急排水処置のために工事期間が十五日間延びた。

王貽芳は工事を熟知している。彼は技術スタッフではないが、中国トップレベルの高エネルギー物理学者である。現在、彼の研究グループは世界先端レベルのニュートリノ実験施設を建設中だ。

およそ百三十億年前、宇宙が誕生したその瞬間から、ニュートリノは物質を構成する最も基本的な粒子の一つとして存在する。ニュートリノは質量が極めて小さく、遮られることなく物質を透過し、しかも目に見えないので「宇宙の透明人間」と呼ばれている。

ニュートリノの謎を解くことは、科学者たちが追い続ける夢で、この分野の研究で技術の進展がある度に人類科学技術史に残る功績となっている。一九八八年から現在まで、ノーベル物

理学賞では二ュートリノ研究分野の科学者が四度受賞している。ただし、人類がこの神秘的な粒子について理解していることは氷山の一角にすぎない。

核融合反応により大量のニュートリノが発生するため、原子力発電所の周辺は科学者がニュートリノを捕集するのに最適な場所となった。

宇宙放射線を遮断し、有効な観測を行うため、ニュートリノ観測装置は山の地下空洞に設置され、超純水を満たした密閉タンクの中にある。

この巨大な装置で一年余り観測を続け、王貽芳と彼の同僚は遂に有効なデータを捕らえた。

王貽芳（中国科学院アカデミー会員）

直径五メートル、内部に液体シンチレータを満たした観測装置を使い、大亜湾原子炉から出たニュートリノを観測することができる。ニュートリノが振動する様子を科学的に初めて観測し、θ13を測定することができた。これは科学的に極めて重要だ。

二〇一五年、カナダのクイーンズ大学のアーサー・マクドナルド名誉教授が、ニュートリノの振動を実証した功績によりノーベル物理学賞を受賞した。彼は中国人の新発見に興味津津だった。

王貽芳の未来に対する期待は更に高い。

王貽芳

私達は大亜湾にいた頃、世界最良を実現した。当時の国際的な最良レベルの二倍だ。現在、広東省の江門実験施設では、大亜湾のレベルの更に二倍向上する必要がある。

王貽芳の計画は、地下七百メートルに、バスケットボールコート二面以上ある実験空間を作り、二万トンの液体シンチレータと一万八千個の光電子増倍管を装備した球状観測装置を建設することだ。

この実験施設により、中国は一躍世界のニュートリノ研究の中心になるだろう。

王貽芳は更なる大計画を温めている。世界をリードする円形電子・陽電子衝突型加速器を建造することで、三百億元以上の資金が必要になると見られる。

これは中国人が新たに建設する大型科学装置で、難易度、投資額、科学的価値のいずれもこれまでをはるかに凌ぐものだ。

王貽芳

今世紀は重要な科学的発見が幾つかありました。例えば、重力波の発見、ヒッグス粒子の発見、ニュートリノ研究の進展などで、いずれも大型装置のおかげで大きな科学的進歩を成し遂げることができました。

中国もこのような大型科学装置を持つべきだ。

ただし、この前例のない構想に、科学界内にも心配や疑問の声が少なからずある。

王貽芳

それが科学にもたらす意義があるかどうかは、建設コストに見合う価値があるかどうかということだ。もう一つ、これほど複雑で大きな装置を私達が建設できるかどうかだ。

このような疑問や心配が王貽芳に責任の重さを一層強く感じさせた。気を引き締め、慎重にならざるを得ないが、三十年に及ぶ専門家としての経験が大きな自信になった。

王貽芳
我が国はここまで発展した以上、科学分野で世界一のものが絶対必要であり、その責任を担うべきだ。

王貽芳は、現代文明の飛躍は基礎科学の進展により実現し、私達の世界に対する認識が根本的に変化したことに起因すると確信している。未来に火をつける導火線は、その神秘的かつ巨大な科学装置の中に隠されているかもしれない。

四、シンクロトロン放射光で構造解析を強化

上海浦東の張江ハイテクパークは国家級大型科学装置であり、中国の科学者と共に人類が手

に触れることの難しい分野を研究している。

巨大な円形建築の内部には大きな人工トラックがあり、疾走する「アスリート」は肉眼では見えない光速に近い電子だ。それらはカーブで接線に沿って特殊な人工光源、シンクロトロン放射光を放出する。科学的手法や装置を使い、この光は各実験端末に送られる。

シンクロトロン放射光の明るさは通常のレントゲン装置の十億倍以上で、ウルトラ高解像度の顕微鏡群のようだ。この放射光の照射を受けると、生物体の構造、細胞の構造、素材の構造でさえも細部まで見ることができる。

何建華（上海光源センター副主任）
明るくなるとミクロの世界の構造がはっきり見える。明るさを上げるとさらにミクロな世界が照らし出される。髪毛の数分の一程の大きさでも。

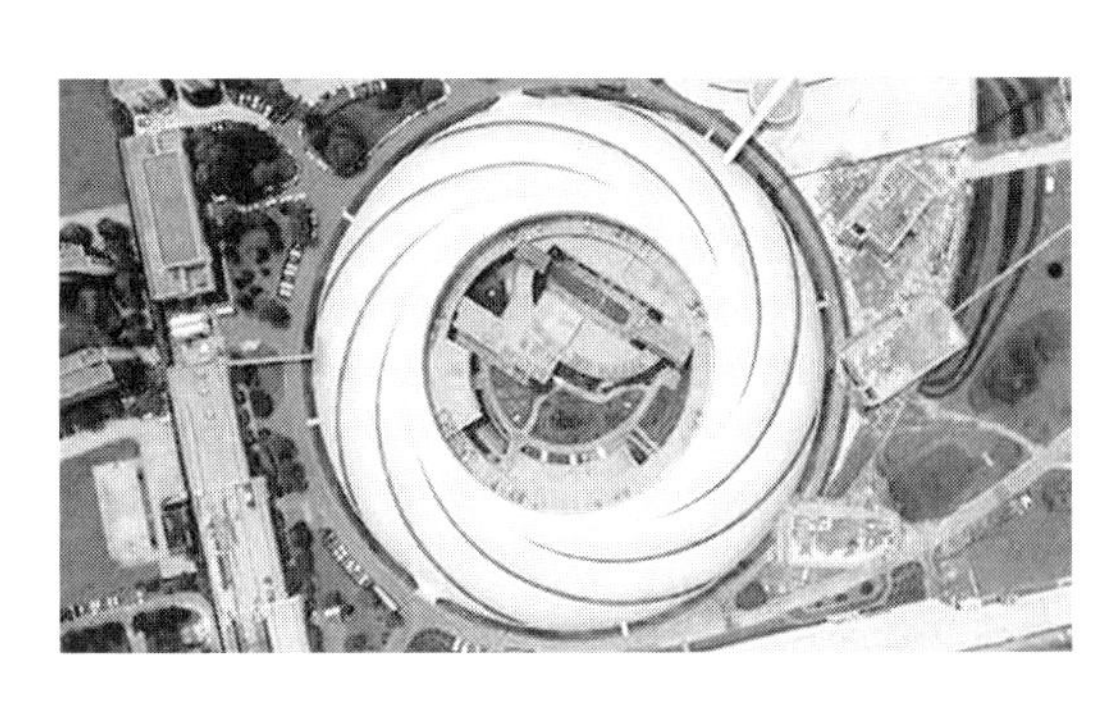

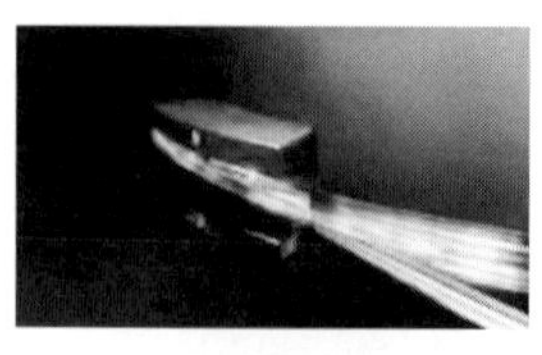
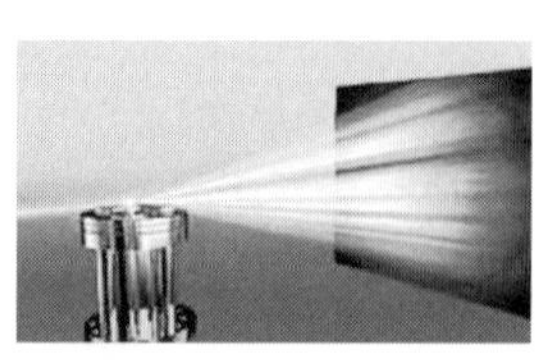
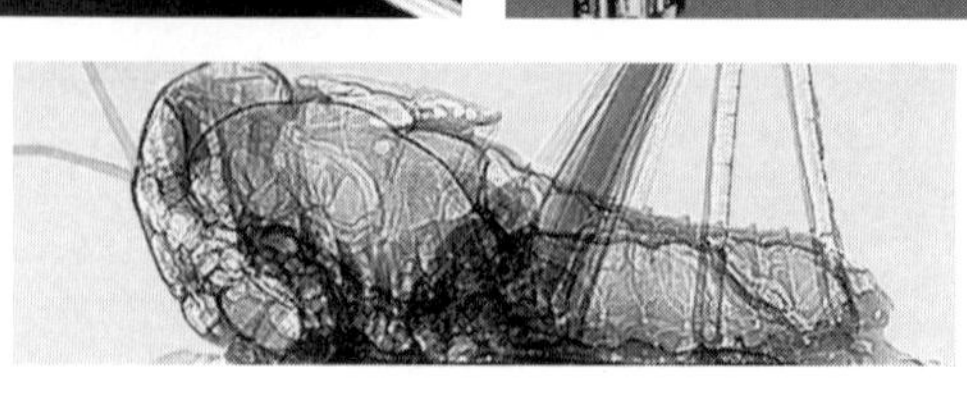

上海光源により、これまで見たことのないミクロの世界が科学者の目の前に展開された。彼らは、鳥インフルエンザウイルスのエンベロープタンパク質構造を観察し、ウイルスに感染した人の伝播メカニズムを明らかにした。また、PM2・5の実際の構造や構成を確認し、スモッグの防止・改善に信頼できるデータを提供した。さらには、一粒の米の中の異なる栄養成分の正確な分布を確認することができた。

何建華は上海光源の設計や建設に参加し、現在はこの大型科学装置の管理者である。

オープンな実験ホールでは、シンクロトロン放射光は数十箇所の実験施設に引き継がれ、二十四時間稼働している。毎日、数十名の国内外の異なる専門分野の科学者が昼夜を問わずシンクロトロン放射光を同時に使用している。

直径わずか数十マイクロメートルの人間の脳神経のシナプス

タンパク質結晶がロボットアームにより正確に捉えられ、同等の直径のビームの中に置かれた。張明傑教授と彼の研究チームは今回のテストにより新たなルートを切り拓きたいと考えている。

張明傑（中国科学院アカデミー会員）

例えば、自閉症や鬱病はどのように発症するのか、遺伝子の突然変異がなぜこれらの疾病を引き起こすかなど。私達の最終目的は、私達の研究により大脳に対する理解が進み、大脳の疾病に対する治療法を模索する上で役に立つことです。

上海光源は基礎科学分野での中国の研究スピードを大幅に上げ、一流の実験プラットフォームは中国が多くの学術分野で世界トップレベルに食い込む後押しをしている。

何建華

一九五〇年代、一つの構造を解析するのに科学者が費やす時間は十年、時にはもっと長くかかった。シンクロトロン放射光が実用化されてから、一つの構造解析にかかる時間は数日、数カ月の単位に短縮された。

上海光源の次の計画は、十六本の高性能ビーム施設を新規建設し、科学者に百種類に及ぶ先端の実験方法を提供し、より多くの科学技術の最前線に光が当たるようにすることだ。大型科学装置とハイレベル実験室が未来の夢を育み、国家戦略であるイノベーションの最高レベルの象徴となる、これには根気よく諦めずに取り組むことが必要だ。

一方、別のグループにとっては、それほど時間に余裕はなく、ほぼ毎日、イノベーションか消滅かの瀬戸際で闘っている。

五、国民的フィルムメーカーを救ったキーテクノロジー

暗室でのネガフィルム現像は、現代の若者には想像すらできないものだろう。だが、そうした光景が見慣れなくなってからまだ十数年しか経っていない。

楽凱（ラッキーフィルム社）は遂に残っていた暗室や設備を博物館に運ぶことを決めた。

二十年前、フィルム検査用のこうした暗室は数十室あった。

ここ数十年のハイテク技術の飛躍的進展が、中国のような後進国に新たなチャンスをもたらした。一方で、新時代のハリケーンは驚くべきスピードであらゆるものを吹き飛ばし、なすべもなかった。

デジタル撮影がこのハリケーンのよい例だ。一晩で暴風に吹き飛ばされたかのように、フィルムカメラはほぼ全ての領地を失った。百年の伝統も栄光も瞬く間に跡形なく消え去った。

一九八八年、二十二歳の王輝が社会人になった時、中国は世界で第四のカラーフィルム生産国となり、米国、ドイツ、日本の独占状態を切り崩した。

王輝（楽凱集団 エンジニア）
とても光栄で誇らしかった。一九九〇年に北京でアジア大会が開催され、「人民日報」社、新華社にフィルムの詰まった箱を届け、我が社のフィルムを試してもらった。現像された写真はプリント効果抜群だった。

しかし、間もなく危機に見舞われた。

二十一世紀に入り、フィルム業界は何の手立ても打てないまま新技術に敗れ、反撃のチャンスすらなかった。

「崖から落ちるように」という形容は、決して誇張ではなかった。二〇〇五年、楽凱フィルムはなお千百七十二本を売り上げたが、翌年は七百六十一本になった。二〇一二年になると最後のカラーフィルム生産ラインを停めざるを得なくなった。

王輝と同僚たちは現実を直視し、一刻も早い転換が必要だと感じた。転換に成功しなければ、一万人以上いる職人の生活を支えられない、貴重な民族ブランドを維持できない。でも、どう転換すべきだろうか。

王輝

ＭＰ３を含むデジタルカメラは、今になってみればですが、デジタル産業への転換に成功したとは言えない。なぜ成功しなかったのか。デジタルカメラのキーテクノロジーは、電子、半導体です。我々楽凱は数十年、専門分野で自身のキーテクノロジーを確立せず、人材の蓄積もなかった。数年の検討を経て、自分たちがキーテクノロジーの探求からいかに遠ざかっていたのか強く感じるようになった。自分たちはキーテクノロジーを確立していない、自分たちの強みがない、転換プロセスでぶつかった壁は非常に大きなものでした。我々のディフューザーフィルム製品の市場投入に際しては、競合製品はいずれも外国製だったため、価格が四十パーセント安く、多くの消費者にもメリットをもたらしました。

現在、王輝と彼の上司による開発チームは、楽凱の安徽省・合肥工場に技術サポートをしている。一見するとフィルムとは無関係のようだが、王輝は自社製品のあらゆるキーテクノロジーはフィルムに関連していると認識している。

十年前、王輝は百人近い古参の職人と共に、遠く離れた合肥で新規事業に着手した。この年、本社は楽凱のキーテクノロジーに合う製品にフォーカスする戦略を打ち出した。

王凱が言うキーテクノロジーとは、フィルム時代の経験や技術を活かせる微粒子、膜形成、塗膜の三大テクノロジーだ。

この三大テクノロジーにより、中国初の光学ポリエステルフィルムの生産ラインが建設・稼働した。この薄膜はフラットパネルディスプレイのキーマテリアルで、以前は日本や韓国の企業が市場を独占していた。

フィルム時代のピーク時には、楽凱の年商は最高二十億元あった。だが、二〇一七年、楽凱はもうもたないと多くの人が感じた頃には、六十億元になった。

フラットパネルディスプレイからデジタルプリントまで、カラーフォトペーパーから医療用フィルムまで、鉄道チケットからソーラーバッテリーのバックプレーンまで、楽凱はかつてのイメージとは違う会社になった。しかし、これらはいずれも数十年にわたる蓄積やたゆまぬイノベーションから生まれたものである。

ドアが閉ざされても別の窓が開いている。勇気を持って、慣れ親しんだ景色から視線を移して再出発するだけだ。

六、大ヒットAI音声翻訳機を生んだ科大訊飛の信念

世界では言葉が通じないことが原因で誤解、矛盾、しこりが生じている。外国語をマスター

するのには時間も労力もかかり、ほとんどの人が二の足を踏む。

便利で信頼できるコミュニケーションツールはないだろうか。科学技術の進歩が新たなチャンスをもたらした。リリースされたばかりの翻訳機である。

テスト項目には、街で道を尋ねる、スーパーマーケットで買い物をするなどのシーンがある。ほぼ満足いくテスト結果が出た。発音が標準で、会話内容がトリッキーでなければ、抜群の翻訳効果を発揮し、正確さは九十パーセント超だ。

二カ月後、ネットユーザーからブラックテクノロジー（超先端技術）と呼ばれたこの「神」ツールは、ネット販売で六万台以上売れた。ただ、開発者たちは満足していない。

自社製品の不足点をよく分かっているのだ。このスマート翻訳機は思考することができず、真の意味でスマートとは言えない。

呉暁如（科大訊飛 輪番総裁）

更新にかかる時間、更新の失敗という課題について考える必要がある。『レジェンド・オブ・ヒーロー』（射鵰英雄伝）の郭靖のように、この翻訳機は賢くないがとても勤勉で努力家だ。一日中多くのデータをインプットし、学習し続けている。

実は、幾つかの課題は、小学生にはとても簡単にできることだ。小学生は帰宅後、父母の機嫌が悪いと察すると、口調や表情から相手の心を探り、顔色をうかがおうとする。この機械はそうしたことが全くできないのです。

膨大なデータを蓄積しスピード演算することは、驚くべきことではなくなっている。世界トップレベルの棋士たちを倒したアルファ碁が可能なのも計算であり、思考ではない。

「人の顔色をうかがう」ことができる機器を作ることができれば、コンピュータは人の脳に近づく。世界中のトップレベルの科学者が試してみたいと思っている。

中国人は更なる高みを目指す。

科大訊飛研究院は巨大で特殊な部門だ。三百人が勤務中にトランプをしたり、図面を編集したりしている。固い業務指示はなく、直接利益をあげなくてもよい。ただ、ここは全社で最も重要な部門だ。会社の未来がかかっている。

三十五歳の魏思が自分よりずっと若い同僚の隣に座るのは、彼らとのコミュニケーションを図りやすいからだ。思考した後、討論したり論争したりする。いつでもどこでもだ。

この二、三十人の小グループは「スーパーブレイングループ」と呼ばれ、魏思はその要である。彼らが狙うのは現在の科学技術の最先端であるＡＩで、彼らの目標は翻訳機に正真正銘のスマートな会話をさせることだ。

魏思（科大訊飛研究院 エンジニア）

「分かるよね」。この言葉をどう理解するか。言葉の背後には多くのものがあり、そうして初めて理解できる。そのため、私達が言語を理解する時には、字面で理解するのではなく、多くの蓄積や知識、その人の人生経験を必要とし、外部の多くの情報とからめて取り込む必要がある。

魏思が確信するのは、現在主流の目的達成のために大量の練習問題をひたすら解き続けるやり方では、将来の到達点は容易に想像がつくということだ。最も単純な思考や判断を求められてもなすすべもない。ブレイクスルーを成し遂げるには、発想の転換が必要だ。

魏思

問題解決の手段はいつも主流ではない。天馬が空を行くが如く自由奔放だ。私達のグループは他人とは違う取り組みをしなければならない。

ただ、魏思はまだ答えを出していない。そこそこのソリューションさえ出していない。彼は焦っておらず、イノベーションを選ぶことは、多くは失敗を選ぶこと意味すると認識している。

魏思

誰も手をつけたことのないものに取り組むため、必ず多くの失敗を経験すると思う。まずは進むべきよい方向を見いだすことだが、これが難しい。それから、その方向でソリュ

ーションを探すことだが、これはもっと難しい。失敗は正常である所以はここにあるのです。

魏思は失敗を恐れている訳ではない。科大訊飛も恐れてはいない。二〇一七年、彼らは研究開発に四億元を投じた。利益体質がまだ十分とは言えない企業にとっては、決して小さな額ではないが、彼らは未来への投資を無駄にはしない自信があった。

彼らがより強い信念を持ったのは、たとえ一度の成功だとしても、世界の科学技術史上に輝く業績を残すことだった。

最近、米国の権威ある雑誌が世界で最もスマートな企業五十社を選出した。中国企業として選ばれた八社のうち、第一位は科大訊飛だった。

魏思はこの結果を受けて歩みを緩めるどころか、時間がないとより強く思った。スマートという語に相応しい企業になるには、他の人の前に走り出て、更に前に進もうとしなければならない。

七、科学技術イノベーションで歴史的飛躍のチャンス

珠江河口東岸に位置する若い都市、深圳は、改革開放とともに誕生した。現在、中国の他の都市同様に、イノベーションを強みにしようと努力している。ほんの数十年で、この地に暮らす人々は、独自の成長経験をもとにイノベーションを理解し、取り込んでいる。新機種が次々打ち出される民生用ドローン、世界二百都市以上を行き交う電気自動車（EV）、世界最薄のカラーフレキシブルディスプレイ、世界初のスマートフォン用AIチップ……。次々と生み出される新技術と社会実装は、都市に新たな活力を与え、来訪者をワクワクさせる。

イノベーションを文化として取り込むことで、都市の原動力となり、人々に新たなチャンスを与え、自主更新や反復力をつけたのかもしれない。

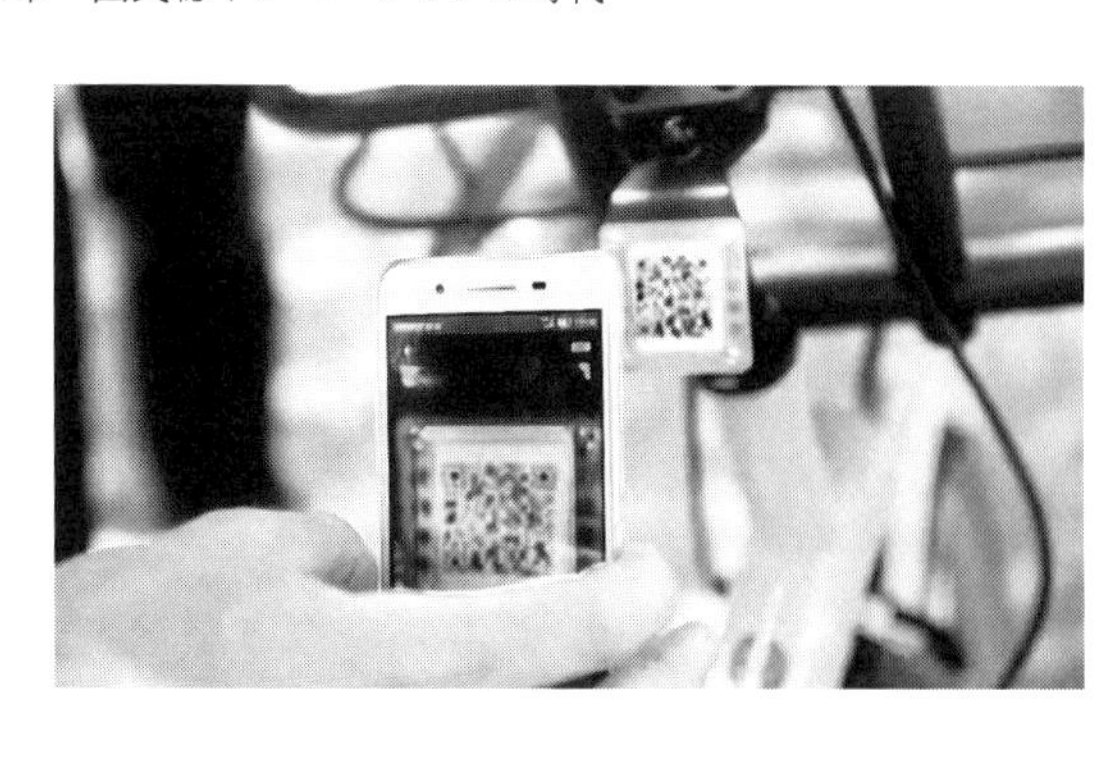

過去四十年、歴史ある我が国が歩んだ道のりは、大きな変遷を記録し、イノベーションの長い道のりへと導いた。

一九七八年、中国の国内総生産（ＧＤＰ）は世界のＧＤＰのわずか二パーセントにすぎず、自主開発のハイテク技術も指折り数えられるほどしかなかった。

二〇一六年、中国のＧＤＰは世界の十五パーセントを占めるに至り、国家総合イノベーション力は世界第十八位になった。二〇二〇年には、中国は小康社会（ややゆとりのある社会）を完全実現し、正真正銘のイノベーション大国になる見込みだ。

この夢は、私たちが知恵と努力の限りを尽くすのに値するものだ。

個人、グループ、企業、都市がそれぞれのやり方で、私達の未来を描く。

それぞれの力はどれも貴重で、どのイノベーションも特別な意味を持つ。

過去数十年にわたり、新ラウンドの科学技術革命が想像を超えるスピードで世界を席巻し、至る所に張り巡らせられたアンテナと圧倒的な力で、人類の生存環境が大きく変わった。

中国にとっては、期待に胸高鳴る歴史的チャンスである。数百年前に産業革命のチャンスを目の前で逃した無念を晴らす時が来た。

変革の時代が到来し、イノベーションだけが深遠な変化をもたらすことができる。

動画QRコード一覧

編者　**本書編集委員会**

訳者　**日中翻訳学院**

日本僑報社が2008年に設立。よりハイレベルな日本語・中国語人材を育成するための出版翻訳プロ養成スクール。
http://fanyi.duan.jp/

翻訳編集協力　**陳 海権**（ちん かいけん）

2035年を目指す
中国の科学技術イノベーション

2021年9月10日　初版第1刷発行
編　者　　本書編集委員会
訳　者　　日中翻訳学院
発行者　　段 景子
発行所　　日本僑報社
〒171-0021 東京都豊島区西池袋3-17-15
TEL03-5956-2808　FAX03-5956-2809
info@duan.jp
http://jp.duan.jp
e-shop「Duan books」
https://duanbooks.myshopify.com/

Printed in Japan.　ISBN 978-4-86185-287-9　C0036

日本僑報社　書籍のご案内

忘れられない中国滞在エピソード 受賞作品集

① 心と心つないだ餃子
② 中国で叶えた幸せ
③ 中国産の現場を訪ねて
段躍中 編

日中対訳 忘れられない中国留学エピソード　段躍中 編

中国共産党は如何に中国を発展させたのか　謝春涛

人民日報で読み解く第2回中国国際輸入博覧会　人民日報国際部

日本各界が感動した新中国70年の発展成果 温故創新　劉軍国

日本人70名が見た感じた驚いた新中国70年の変化と発展　段躍中 編

さち子十四歳 満州へ　戦中・戦後 看護婦として　安川操

忘れえぬ人たち「残留婦人」との出会いから　神田さち子

対中外交の蹉跌―上海と日本人外交官―　片山和之

日中未来遺産 中国「改革開放」の中の〝草の根〟日中開発協力の「記憶」　岡田実

日本人が参考にすべき 現代中国文化　長谷川和三

わが七爸（おじ）周恩来　周爾鎏

『日本』って、どんな国？ 初の【日本語作文コンクール】世界大会101人の「入賞作文」　大森和夫・大森弘子

「日本」、あるいは「日本人」に言いたいことは？　大森和夫・大森弘子

「了」 中国語のテンス・アスペクトマーク〝了〟の研究　劉勲寧

東アジアの繊維・アパレル産業研究　康上賢淑

中国工業化の歴史 ―化学の視点から―　峰毅

中国はなぜ「海洋大国」を目指すのか　胡波

若者が考える「日中の未来」シリーズ 宮本賞 学生懸賞論文集

① 日中間の多面的な相互理解を求めて
② 日中経済交流の次世代構想
③ 日中外交関係の改善における環境協力の役割
④ 日中経済とシェアリングエコノミー
⑤ 中国における日本文化の流行
⑥ 日本の若年層を中心とする対中世論改善の可能性
⑦ 中国でドローン産業が育つのはなぜか？

元中国大使 宮本雄二 監修

新疆世界文化遺産図鑑<永久保存版> 小島康誉 王衛東

新疆物語 ―絵本でめぐるシルクロード― 王麒誠

中国政治経済史論 毛沢東時代 胡鞍鋼

中国政治経済史論 鄧小平時代 胡鞍鋼

日本人論説委員が見つめ続けた激動中国 加藤直人

日中友好会館の歩み 村上立躬

二階俊博 ―全身政治家― 石川好

日本人の中国語作文コンクール受賞作品集

段躍中編

① 我們永遠是朋友（日中対訳）
② 女児陪我去留学（日中対訳）
③ 寄語奥運 寄語中国（日中対訳）
④ 我所知道的中国人（日中対訳）
⑤ 中国人旅行者のみなさまへ（日中対訳）
⑥ Made in Chinaと日本人の生活（日中対訳）

中国人の日本語作文コンクール受賞作品集

段躍中編

① 日中友好への提言2005
② 壁を取り除きたい
③ 国という枠を越えて
④ 私の知っている日本人
⑤ 中国への日本人の貢献
⑥ メイドインジャパンと中国人の生活
⑦ 甦る日本！今こそ示す日本の底力
⑧ 中国人がいつも大声で喋るのはなんでなのか？
⑨ 中国人の心を動かした「日本力」
⑩ 「御宅（オタク）」と呼ばれても
⑪ なんでそうなるの？
⑫ 訪日中国人「爆買い」以外にできること
⑬ 日本人に伝えたい中国の新しい魅力
⑭ 中国の若者が見つけた日本の新しい魅力
⑮ 東京2020大会に、かなえたい私の夢！
⑯ コロナと闘った中国人たち